# 핵심
# 미술치료 실습

## ESSENTIAL
## ART THERAPY EXERCISES

# 핵심 미술치료 실습

## ESSENTIAL ART THERAPY EXERCISES

불안, 우울과 PTSD 조절에
효과적인 기법들

## Leah Guzman, ATR-BC

이현지 옮김

군자출판사

# 핵심 미술치료 실습

첫째판 1쇄 인쇄 | 2022년 6월 10일
첫째판 1쇄 발행 | 2022년 6월 20일

지 은 이   레아 구즈만(Leah Guzman)
옮 긴 이   이현지
발 행 인   장주연
출 판 기 획   임경수
책 임 편 집   김수진
편집디자인   최정미
표지디자인   김재욱
제 작 담 당   이순호
발 행 처   군자출판사(주)
　　　　   등록 제4-139호(1991. 6. 24)
　　　　   본사 (10881) **파주출판단지** 경기도 파주시 회동길 338(서패동 474-1)
　　　　   전화 (031) 943-1888　　팩스 (031) 955-9545
　　　　   홈페이지 | www.koonja.co.kr

고통받는 이들에게 이 책을 바칩니다.
그들에게 미술이 회복의 길로 안내하는 도구가 되게 해주세요.

# CONTENTS

# 서 문

제가 미술치료를 하는 목적은 내담자들이 자신의 감정을 경험하고 창의적으로 표현할 수 있는 안전한 장소를 만들 뿐 아니라 삶을 탐색할 수 있는 새로운 가능성을 개척하게 하는데 있습니다. 미술은 저에게 격동의 시기에는 하나의 배출구가 되어 주었으며 삶의 문제를 다룰 때는 첫 번째 방어 수단이 되어 주었습니다. 또한 미술은 날마다 제 삶의 균형을 유지해 주는 치료요법이기도 합니다. 저는 제가 말한 대로 실천합니다. 다른 이들이 창의성을 통해 몸과 마음과 영혼이 연결 되도록 도움을 주는 것이 저의 임무입니다.

인간이 자신의 진정한 잠재력을 깨닫게 하고 고통 없는 삶을 살게끔 돕는 것은 놀라울 만치 만족스러운 일입니다. 공인 미술치료사(ATR-BC)인 저는 모든 연령층에게 대면과 비대면으로 이러한 도움을 주는 개인 임상을 진행하고 있습니다. 제가 경험한 청년 내담자들은 위기 쉼터나 소년원에 있는 위험에 처한 청소년과의 작업에서부터 공립학교의 어린이들에 이르기까지 다양 합니다. 저는 불안, 우울증, 트라우마를 지닌 성인 내담자들과도 많은 작업을 함께 해 왔습니다. 이러한 개인 임상 외에도 정신과 시설과 여성 보호소에서 미술치료를 진행해 왔습니다.

우울, 불안, 외상 후 스트레스 장애(PTSD)의 치료를 위한 임상에서는 인지행동 미술치료 접근법을 사용해 왔습니다. 마음 챙김 연습과 명상이 포함된 인지행동 접근법도 제가 활용하는 미술치료 기법의 한 부분입니다. 미술치료는 내담자가 자신의 마음속에서 일어나는 것을 시각화하고, 자신의 사고 패턴을 바꾸는 새로운 방법을 배우는 것으로, 내담자를 새로운 관점으로 이끌수 있습니다. 이 책은 우울, 불안과 PTSD를 다루기 위한 창의적인 기법들을 소개하고 있습니다. 만약 당신이 정신 건강 전문가라면, 내담자와 상담에 들어가기 전에 이 책에서 소개하는 실습을 실천해보기를 권합니다. 만약 이런 미술 실습을 별도로 하고 있다면, '대화를 위한 질문들'을 기록하여 반추하는 시간을 가졌으면 합니다.

저는 이 책이 통찰력, 자기표현, 마음 챙김, 수용 그리고 자기 연민의 발판이 되었으면 합니다. 특히, 이 책은 생각과 감정을 시각적으로 표현하는 실습법으로 구성되어 있습니다. 사람들이 자기 생각과 감정을 어떻게 조절하는지를 터득하는 것은 그들의 행동에 영향을 미칠 것입니다. 누구나 그들이 살아가는 환경에 대처하기 위한 새로운 방법들을 배울 수 있습니다. 미술치료는 단지 미술에 소질 있는 사람들을 위한 것이 아니라, 스스로 미술과 거리가 멀다고 생각하는 이들에게도 도움이 될 수 있습니다. 자기 인식을 키우고자 하는 누구나 미술치료를 통해 무언가를 얻을 수 있습니다.

미술 창작에 익숙하지 않은 사람들은 결과물보다는 과정에 집중해야 합니다. 미술작품이 훌륭한가 아닌가를 판단하는 것은 창조적인 과정에 방해가 되므로 미술 창작을 위해서 그런 비판적인 사고를 버려야 합니다. 표현 행위는 감정과 행동에 대한 통찰력을 제공하므로 그 자체만으로도 가치 있는 것입니다. 감정을 표현하기 위해 미술을 창작하는 것은 분명 카타르시스를 일으켜 해방감을 줄 수 있습니다. 긴장 이완을 위해 다들 시간을 내어 이 책 1장 뒷부분에 소개한 워밍업 훈련을 해봅시다. 비(非) 판단적인 자세로 미술을 창작함으로써 각자의 내면을 들여다보세요. 삶의 사건에 맞서는 새로운 방법을 모색할 때 변화는 일어납니다. 즉 세상이 바뀌는 거죠. 만약 작품을 판단하려는 생각이 떠오르면 그냥 바라보기만 하고 반응하지 않으면 됩니다. 그것들은 단지 생각에 지나지 않는 것입니다. 이 책에 소개한 실습으로 자신을 치유하고 세상을 좀 더 편하게 살기 위한 새로운 방법을 배우겠다는 분명한 목표를 갖길 바랍니다.

# 역자 서문

바닷가에서 모래로 무언가를 만드는 어린이들, 전화통화를 하면서 무심결에 낙서처럼 그린 그림, 오늘 입을 옷의 색을 고르는 모습에서 볼 수 있듯, 미술은 늘 우리 삶에 스며들어 있음에도 여전히 '어렵고', '두렵고', '낯선' 무언가로 존재하는 듯하다. 그러나 미술치료 현장에서의 경험을 되짚어 보면, 처음에는 다들 두려워하다가도 서서히 진행되는 창작과정을 통해 자신 안에 잠재된 창작 욕구와 무의식을 깨닫는 모습을 보게 된다. 미술은 보이지 않는 것을 보이게 하는 마법과 같다. 우리는 단지 이것이 익숙하지 않았던 것뿐이다.

미술과 심리학이 접목된 미술치료학은 관련 전공학과가 없는 대학에서도 교양과목으로 채택될 만큼 예전보다 인지도가 많이 높아졌다. 또한, 고유명사 뒤에 '치료'만 붙이면 될 만큼 우리는 치료가 필요한 시대에 살고 있다. 몇 년간 우리를 감금시킨 코로나는 각자의 영역 안에서 어떻게 하면 좀 더 재미있게 힐링할 수 있을까를 고민하게 하였고, 미술치료 역시 유튜브를 통해 언택트, 셀프 테라피 기법 등으로 많이 소개되고 있다. 인간이 어떻게 환경에 잘 적응하면서 진화했는지를 알 수 있는 대목이다.

『핵심 미술치료 실습』은 미술이 지닌 생생한 매력과 작업에 대한 욕구를 환기하는 책이다. 현재 온·오프라인에서 미술치료사이자 작가로 활동하는 저자 레아 구즈만은 매체에 대한 높은 이해를 바탕으로 독자들이 스스로 선택하고 활용할 수 있는 방법들을 친절하게 설명하고 있다. 특히 다른 역서나 저서에서는 보기 드문 '글쓰기' 카테고리가 있으며, CBT, 명상, 음악, 영화, 디지털 매체 등 다양한 소스를 접목하여 더 창의적인 영역에서 미술치료를 구성하였다. 원문에 쓰인 재료 이름, 표기법 등은 국내 독자에게 친숙하게 수정되었으며, 대체 가능한 재료는 역자가 별도로 서술하였다. 응급이나 치료의 도움이 필요한 정보는 미국에 이어 국내 관련 단체와 연락처도 첨부하였다.

이 책은 다음과 같은 독자들에게 힘이 되었으면 한다. 첫째, 미술치료사다. 평상시 자기 마음을 관리하는 방법으로 창작활동을 생활화하는 치료사는 내담자에게 적합한 재료와 방법을 제시하고 더 공감하며 접근할 수 있다. 이 책에서 매체별, 주제별로 소개된 항목들은 치료사 자신에게는 실천적으로, 그리고 내담자에게는 실용적으로 적용될 것이다. 둘째, 다양한 환경에서 미술치료의 도움을 받고자 하는 상담자, 교육자, 의료인, 활동가 등이다. 미술치료 안에서도 글, 동작, 음악 등이 융합되듯이 다른 학문 안에서도 미술은 치료적으로 융합할 수 있다. 선천적, 후천적 이유로 언어적 표현이 힘들거나 위축된 개인과 집단의 분위기를 이완하는 데 미술은 도움이 될 것이다. 특히 본문 중 '대화를 위한 질문들'은 내담자를 통찰로 이끄는 데 유리한 구체적인 질문으로 제시되어 있다. 셋째, 자기 치유적인 작업을 원하는 분들이다. 이제는 교육적 목표가 아니라 힐링과 성취감을 위해 아트 스튜디오를 찾는 분들이 꽤 늘고 있다. 유명한 가수나 연기자 중에서도 자기만족의 차원에서 작업하고 전시회를 여는 사례들을 볼 수 있다. 미술은 잠재된 창조성을 깨우고 자신에게 집중할 수 있게 한다는 점에서 매혹적인 자기 관리법임은 분명하다. 책을 활용하는 과정에서 심리치료에 대한 필요성을 느낀다면 저자의 조언대로 관련 단체나 전문가의 도움받기를 권한다. 역자는 이러한 독자들을 염두에 두고, 미술치료가 더 친근하게 다가서기를 바라며 번역에 임했다. 이 책은 "미술치료가 뭐예요?"라는 질문에 쉽고 충분한 대답이 될 것이다.

항상 열린 마음으로 지원해주시는 군자출판사 임경수 과장님, '하고 싶은 거 다 할 수 있게' 응원해주시는 김수진 편집자님과 출간에 애써 주신 모든 직원분께 감사를 드린다. 앞으로 더 재미있고 의미 있는 작업을 통해 미술치료 서적의 다양화를 실현하고자 한다.

이현지

[ 역자 소개 ]

이현지

현) 성공회대 강사
현) 치유의 아뜰리에 소장
차의과학대학교 일반대학원 의학과 임상미술치료학 박사
숙명여자대학교 일반대학원 미술사학과 석사
숙명여자대학교 미술대 회화과 학사
역서 『CBT에 대한 창의적 접근법』(군자출판사) 출간 예정
『아웃사이더 아트와 미술치료』(군자출판사) 공역

Part One

# 치료의

# 미술

# Chapter One

# 미술치료란
# 무엇인가?

미술치료는 삶을 개선하기 위해 미술과 심리학을 활용하여 정서 및 행동장애를 치료하는 심리 치료적 접근법입니다. 미술을 제작하는 과정을 통해, 참여자들은 그들의 감정을 표현하고 그들의 불안, 우울 또는 PTSD의 원인이 되는 것을 치유할 수 있습니다. 미술치료사들은 인지, 자기 인식, 자아 존중감을 개선하고 대처 능력과 사회성을 향상하는 기회를 촉진하기 위해 참여자들과 치료적 관계를 맺도록 훈련받은 석사 수준의 임상가들입니다. 이 책에 소개된 미술치료는 콜라주 작업과 직물에서부터 드로잉, 페인팅, 조각, 글쓰기와 사진에 이르는 다양한 실습 기법을 포괄하고 있으며, 이 실습은 구체적인 치료 목표 및 정서적인 욕구와 관련하여 설명됩니다.

# 미술치료의 기원

미술은 늘 인류가 소통하기 위한 하나의 수단이 되어 왔으며, 그 기원은 수천 년 전으로 거슬러 올라가 스페인에서 발견된 최초의 동굴 벽화에서 찾을 수 있습니다. 미술의 시각언어는 우리의 일상생활에서 여전히 중요한 역할을 합니다. 우리는 모두 이미지에 둘러싸여 살아가지요. 길을 걷다가 건널목 신호를 보거나, 집에 있는 소파에 앉아 인터넷을 할 때도 미술은 어디에나 존재합니다. 미술치료는 우리를 둘러싼 세상을 이해하는 데 도움이 되는 하나의 도구입니다.

굿테라피(GoodTherapy)라는 웹사이트에 실린 "미술치료"라는 제목의 기사에 따르면, 미술치료의 기원은 20세기 유럽과 미국에서 거의 동시에 최초로 기록되었습니다. 영국의 예술가이자 작가이자 미술치료사인 아드리안 힐(Adrian Hill)은 1942년에 "미술치료"라는 용어를 처음 만들었습니다. 1938년에 힐이 요양소에서 결핵 치료를 받던 당시, 그는 아픈 사람들을 위한 미술의 치료적 가치를 깨닫게 됩니다. 그는 다른 환자들과 함께 그들의 병상에서 미술 작업을 하기 시작했으며, 자신이 발견한 것을 기록하여 『미술 대 질병(Art Versus Illness)』이라는 제목의 책을 편찬하게 됩니다.

또한 "미술치료" 기사는 미술치료 분야에 이바지한 부가적인 인물들을 소개하고 있습니다. 1900년 초 미국에서 심리학자, 교육자, 예술가이자 작가였던 소위 "미술치료의 어머니"라고 불리는 마가렛 나움버그(Margaret Naumburg)는 심리치료와 미술에 관한 그녀의 경험을 글로 썼습니다. 그녀는 당대 지인들과 함께 책을 편찬했으며, 학교에서 미술치료를 제공하자는 운동을 촉발하여 대학 수준의 석사 미술치료 프로그램의 창설을 이끌었습니다. 국립 정신 건강 연구소에서 근무했던 재능 있는 예술가인 한나 키아트코브스카(Hanna Kwiatkowska)는 미술치료를 통해 가족 역동의 개선을 도왔습니다.

미술 교육자였던 플로렌스 케인(Florence Cane)은 자아 지지, 정체성 발달 그리고 자기 성장 향상에 초점을 둔 치료로서의 미술(art-as-therapy)이라는, 과정 중심의 미술치료 접근법을 제안했습니다. 이디스 크레이머(Edith Kramer)는 그녀가 교수로 재직했던 뉴욕 대학교에 미술치료 프로그램을 설립하여 이 분야를 진일보시켰습니다. 엘리너 울만(Elinor Ulman)은 미술치료에 관한 출판물이 거의 없던 당시에 『미국 미술치료학회지(The American Journal of Art Therapy)』를 창립한 인물입니다. 미술치료에 관한 첫 번째 집필 이후에 미술치료사라는 직업이 성장하기 시작했고 다양한 환경에서 효과적인 치료방식으로 널리 인정받게 되었습니다. 과학기술의 발전은 온라인상에서 미술치료에 관한 정보와 실습에 접근하게끔 하여 이 직업의 범위를 넓혔으며, 오늘날에는 우리 역시 치유의 도구로 과학기술을 활용하고 있습니다.

# 왜 미술치료인가?

미술치료의 목적은 개인적인 통찰력을 얻고 감정에 대한 자제력을 키우기 위해 창의적인 과정 안에서 자기 인식과 자기 성찰을 하는 데 있습니다. 미술작품은 생각과 감정에 대한 시각적인 기록물입니다. 이러한 정신적인 이미지들은 이런 감정을 일으키는 문제에 대한 해결책과 통찰력을 제공할 수 있습니다. 이 통찰력은 자신에게 문제시되는 감정을 수용하고 정서에 대해 어떻게 새롭게 반응할지를 알게 하는 출발점을 제공합니다. 이 과정을 통해 자아 존중감 향상, 더 가치 있는 자아의 힘 그리고 향후 삶의 문제에 노련하게 대응하게끔 하는 장기적인 효과를 얻을 수 있습니다.

인지행동 미술치료(CBAT) 분야의 연구는 미술치료가 갖는 효과를 뒷받침합니다. 마르시아 로살(Marcia Rosal)의 저서인 『인지행동 미술치료(*Cognitive Behavior Art Therapy*)』에 따르면, CBAT 접근법이 불안, 우울증 그리고 PTSD에 가장 효과적인 치료법이라는 것을 근거 기반 연구가 증명하고 있습니다. CBAT의 목표는 상황에 대한 대처 능력을 높이고 적용하는 방법을 배움으로써 각자 다른 삶의 환경에 적응하도록 알려주는 것입니다.

미술치료는 또한 자아 존중감을 향상합니다. 하나의 미술작품을 완성하는 것은 우울증을 앓고 있는 누군가에게는 성취감, 힘 그리고 만족감을 가져다줄 수 있습니다. 창작된 미술작품을 통해 성찰하고 이 책에서 제시하는 것을 따름으로써 무의식에 대한 통찰력을 얻을 수 있게 됩니다.

작업물을 두고 대화하는 것 또한 자기 인식을 높여줍니다. 우울증이나 불안으로 고통받는 누군가가 미술작품을 바라보며 대화하는 것은, 자기 인식의 개선과 자기조절이라는 자기 성찰로 이어집니다. 감정을 잘 조절할수록 감정 회복탄력성이 만들어집니다. 감정 회복탄력성이란, 하나의 생각 그리고 그 생각이 들게 하는 것을 인식하는 것을 말합니다. 감정 회복탄력성이 있는 사람은 자기 조절력이 있으며 스트레스 상황에 잘 대처할 수 있습니다. 자기조절이란, 자주 후회하게 되는 파괴적인 방법보다는 일어나는 감정을 다루기 위해 건설적인 방법을 선택하는 것을 말합니다. 자기감정을 돌보는 법을 터득하는 것은 치유로 이끌어 줍니다.

미술치료는 무엇이 감정적 스트레스를 일으키는지를 인식하고 그것을 다루기 위한 건설적인 개입방식의 발달에 도움이 됩니다. 가령, PTSD를 앓고 있는 사람은 자신의 트라우마와 관련한 스트레스 촉발요인을 찾을 필요가 있을 것입니다. 누군가의 기억을 상기시키는 미술 창작은 일련의 인지적 과정을 의미합니다. PTSD로 고통받는 이들은 처음에 스트레스를 유발한 것에 개입하고 그들의 감정을 토대로 작업할 필요가 있습니다. 이러한 감정을 탐색하고 그들의 정신에 통합함으로써, 그 사람은 트라우마를 수용하기 위한 삶의 경험을 다룰 수 있게 됩니다.

이 책에 소개된 몇몇 실습에서 보듯이 미술치료는 어떤 상황을 다룰 때 대안적인 방법을 찾게끔 고안되었기 때문에 문제해결 능력을 높이기도 합니다. 로살에 따르면, 인지능력이 향상되면 문제해결 능력도 향상됩니다. 그녀는 창의적인 과정이 의사 결정력도 강화한다는 것을 알게 되었습니다. 미술 '제작의 과정을 통해 당신은 색채, 세부 묘사 그리고 배치를 선택하기 위한 많은 결정권을 갖게 될 것입니다.

치료 과정의 하나인 집단 미술치료는 참여자들이 의사소통을 경험할 수 있도록 하므로 사회화를 높이는 데 효과적입니다. 저자가 집단 미술치료 세션에서 가장 좋아하는 부분은 개인들이 다른 집단 구성원들과 함께 그들의 작품이 갖는 의미에 관해 대화할 때입니다. 참여자가 자신들의 이야기를 공유하는 것은 그들을 다른 구성원들에게 더욱 개인적인 차원에서 이해할 기회를 선사합니다. 다른 구성원들은 그 참여자의 이야기를 듣고, 피드백을 주고, 제안함으로써 그를 지지하게 됩니다. 이 과정에서 애착과 공동체 의식이 생겨납니다.

# 미술치료가 신체에 미치는 효과

미술치료는 정신 건강에 큰 효과를 지니고 있을 뿐 아니라, 생리학적인 건강에도 긍정적인 영향을 미칠 수 있습니다. 스트레스는 우리 신체에서 매일같이 발생합니다. 스트레스는 두통, 요통, 경직된 근육, 어깨 통증, 신경성 복통, 피로감, 고혈압, 과식 또는 불면증 등의 신체적인 증상으로 나타날 수 있습니다. 스트레스를 일으키는 원인이 무엇이고 어떻게 대처할지를 배움으로써 더 건강한 삶을 살아갈 수 있을 것입니다.

기리자 카이말(Girija Kaimal)의 2016년 연구에 따르면, 미술은 참여자들의 스트레스 수준에 긍정적인 영향을 미치는 것으로 나타났습니다. 미술 작업을 하기에 앞서 연구 참여자들의 스트레스 호르몬인 코르티솔을 측정했습니다. 그러고 나서 45분 동안 미술 작업 세션을 경험한 다음 그들의 코르티솔 수치를 재측정했습니다. 측정 수치를 비교한 결과, 미술치료 세션 후에 참여자 75%의 코르티솔 수치가 감소했다는 것이 밝혀졌습니다. 이 연구에서 가장 흥미로운 점은 참여자들에게 미술을 창작한 이력이나 경험이 전혀 없다는 것입니다. 미술을 창작하는 과정은 우리가 인식하지 못하는 순간에도 신체적으로 스트레스를 완화하는 데 도움이 됩니다. 그리고 저자는 참여자들 대부분이 미술의 과정을 즐기긴 하지만, 미술 작업을 위해 일상생활에서 별도의 시간을 내기는 어렵다는 것을 여러 경험을 통해 알게 되었습니다.

# 미술과 치료의 관계

미술치료가 세션에서 어떻게 활용될 수 있는지는 "치료*로서의* 미술"과 "치료*에서의* 미술"이라는 두 가지 관점이 있습니다. 치료로서의 미술은 미적으로 즐거운 미술작품을 만드는 것에 만족하기 때문에 결과 지향적으로 여겨집니다. 미술작품을 만드는 행위 자체가 곧 결과인 셈이지요. 창의적인 과정은 자아 인식을 촉진하고, 자아 존중감을 높이며, 개인의 성장을 도모할 수 있습니다. 가령 제가 진흙으로 머그잔을 만들면, 제가 머그잔을 창작했기 때문에 제 기분이 좋아질 것입니다. 따라서 저의 자아 존중감도 덩달아 높아지게 되는 것입니다.

치료*에서의* 미술에 숨겨진 의도는 미술이 감정에 더 깊이 파고들어 누군가의 감정과 생각을 알아내는 심리치료의 수단이라는 것입니다. 머그잔으로 계속 비유를 하자면 다음과 같습니다. 머그잔이 나에게 의미하는 것은 무엇인가요? 내가 느끼고 싶은 감정은 무엇인가요? 불안에 대처하기 위해 그 머그잔을 어떻게 사용할 건가요? 저는 불안할 때마다 그 머그잔으로 차를 한 잔 끓여 마실 것입니다. 이 책은 많은 미술치료 기법들을 제공하고 있습니다. 미술은 무의식을 가볍게 두드리는 상징적인 언어입니다. 미술의 과정, 형태, 내용 그리고 언어적인 연관성을 통해 개인의 삶에서 일어나는 일을 이해할 수 있게 됩니다. 이 접근 방식은 정서적인 갈등을 해결하고, 통찰력을 발달시키며, 삶을 살아가는 데 활용될 수 있는 새로운 기술의 터득에 도움을 줍니다.

미술치료는 불안, 우울과 PTSD 치료에 효과적입니다. 국립정신건강연구소(the National Institute of Mental Health, 이하 NIMH)에 따르면 불안은 삶의 다른 영역에서 나타나는 감정이며, 때로는 건강하다는 예상 결과를 보이기도 합니다. 과도한 걱정이 인간관계 또는 직장, 또는 학업 성과에 지장을 주면 하나의 질환이 되는 것입니다. CBAT는 불안을 유발하는 상황에 대처하는 다양한 방안을 알려줍니다.

NIMH는, 최소 2주간 일상적 활동에 영향을 미치는 심각한 기분 장애를 우울증으로 정의하고 있습니다. 우울증 증상에는 슬픔, 짜증, 죄책감, 무가치감, 식욕 변화, 수면 곤란(또는 과수면), 에너지 감소 혹은 피로감, 죽음이나 자살에 관한 생각 등이 포함됩니다. CBAT 접근법은 우울증 증상과 관련된 사고의 패턴을 다룹니다. 미술치료와 약물 투여를 병행하는 것은 치료에 있어서 최상의 접근법으로 밝혀져 왔습니다.

NIMH에 따르면, PTSD는 충격적이고 무섭거나 위험한 사건을 경험한 후 일부 사람들에게 발병하는 하나의 질환입니다. 트라우마의 상황에서 두려움을 느끼는 것은 당연합니다. 공격·도피 반응은 우리를 위험 요소로부터 보호하기 위한 전형적인 반응입니다. 대부분은 자연스럽게 회복되지만, 어떤 이들은 더 이상 위협받지 않는 상황에서도 계속 스트레스를 받거나 두려움을 느낄 것입니다. CBAT 접근법은 다양한 매체를 통해 외상 사건을 다룹니다. 이는 개인이 자신의 감정을 처리할 수 있게 하여, 과거의 사건이 더 이상 자신을 압도하는 것처럼 느껴지지 않게 합니다.

또한 일기 쓰기를 통해 감사함을 실천하게 되면, 직장에서는 피로를 덜 느끼게 되고, 수면을 더 잘 취하고, 건강 문제로부터 더 빨리 벗어난다는 연구 결과가 있습니다. UCLA의 마음 챙김 인식연구센터(Mindfulness Awareness Research Center)에서 실시한 연구는 감사함이 중추신경계에 긍정적인 영향을 미치는 뇌의 회백질 기능을 촉진한다는 것을 밝혀냈습니다.

# 치료에 대한 해석

미술작품을 해석한다는 것은 미술의 모든 측면에 대한 이해를 내포하는데, 그 과정에서 비 판단적인 자세를 취하는 것이 중요합니다. 미술은 주관적이고, 우리는 각자 자신만의 투사를 가지고 미술에 다가갑니다. 미술작품을 반추하면서 가장 중요한 부분은 그 작업을 한 사람이 자신과 작품을 연결하여 언어화하는 것입니다. 가령, 어떤 이에게는 파란색이 슬픔과 연관될 수 있지만, 또 어떤 이에게는 자유 의식을 나타내기도 합니다. 전문 치료사들은 폭넓은 교육과 성실한 임상 기술을 보유하고 있으므로 미술을 창작하고 다루는 데 있어 안전한 경험을 제공한다는 점을 참고 하길 바랍니다. 만약 미술을 해석할 때 의문점이나 걱정되는 것이 있다면 숙련된 미술치료사를 참여시키거나 함께 상의하는 것이 매우 중요합니다.

집단 미술치료 환경에서든, 아니면 내담자와 치료사간의 일대일 상황에서든 제일 중요한 단계는 성급하게 결론을 내리기에 앞서 질문을 하는 것입니다. 미술작품에 대한 투사나 개인적인 해석을 피하기 위해서는 항상 개방형의 질문을 던져야 합니다.

생각해 볼 만한 개방형 질문의 예시는 다음과 같습니다. 향후 참작할 수 있도록 질의응답은 문서화 하는 것이 좋습니다. 일기장 또는 창작한 작품의 뒷면에 적는 것도 하나의 문서화가 될 수 있습니다.

작품을 검토할 때 참작할 질문들은 다음과 같습니다:

- 이 작품을 객관적으로(선, 모양, 오브제, 사용된 색채) 설명해 보시겠어요?
- 작품을 만들면서 어떤 감정이 떠올랐나요?
- "나(I)"라는 단어를 사용하여 작품 일부를 설명해 볼까요?
- 작품에서 각각 다른 부분들은 서로 어떻게 소통하여 하나의 응집력 있는 작품을 만들어 내는 걸까요?
- 그 색채는 당신에게 무엇을 의미하나요?
- 작품에 어떤 제목을 붙여 볼까요? 그 제목을 붙이는 과정에서 어떤 생각이 들었나요?
- 이 작품은 현재 당신의 삶과 어떻게 연결되나요?
- 만약 이 작품이 당신에게 전할 메시지가 있다면, 어떤 말을 할 것 같나요?

덧붙여, 작품을 해석할 때 고려되어야 할 몇 가지 시각적 징후들은 다음과 같습니다:

- 과도한 생략
- 공간의 사용
- 대상들의 관계
- 생략된 신체 부위
- 손이나 발의 결여
- 신체에 표시한 기호
- 선의 특성
- 색채의 결여
- 색채가 연상시키는 것

치료적 관계에서 치료사는 내담자가 신뢰를 쌓고 자신의 마음을 터놓을 수 있게 안전한 공간을 제공하는 것이 필요합니다. 미술을 창작하는 것은 무거운 감정적 반응과 수치심, 죄책감, 슬품, 분노 또는 무관심의 감정을 동반할 수 있습니다. 숙련된 치료사라면, 참여자들이 자신의 감정을 승화시키도록 격려하고 지지하는 세션을 다룰 수 있을 것입니다. 만약 이 책을 활용하면서 혼자서는 감당하기 힘든 감정이 일어난다면, 미국 미술치료협회 홈페이지(arttherapy.org)를 통해 숙련된 치료사와 상의하길 바랍니다(역자: 국내의 경우 인터넷을 통해 여러 미술치료 관련 협회나 센터를 찾을 수 있음).

## 심상 떠올리기

심상 떠올리기는 감정을 불러일으키거나 문제해결 능력을 발달시키는 데 활용 가능한 언어적 서술을 일컫습니다. 시각화는 긴장 이완과 평화로운 느낌을 불러일으키거나 우리가 살아가면서 무언가를 표현하는 데 활용 가능합니다. 또한 현재 상황의 대처방안을 모색하기 위한 하나의 도구가 될 수도 있습니다. 대개 시각화는 눈을 감고 하나의 장면을 상상한 다음 떠오른 장면을 그리는 것으로 이루어집니다.

# 미술치료 시작하기

미술치료를 시작할 때 고려해야 할 몇 가지 사항들이 있습니다. 만약 숙련된 미술치료사를 만나고자 한다면, 자기 관리를 위해 시간을 투자하는 것이 중요합니다. 치유와 자기 인식은 시간이 지나야 나타나는 자기 계발의 과정입니다. 미술치료사는 당신의 치유 욕구를 구체적으로 충족하는 치료 목표와 실습을 설계할 것입니다. 이 책에 나오는 어떤 실습이든 간에 혼자서 진행하기 위해서는, 각자의 시간을 고려하고, 매체를 구하고, 미술 작업을 위한 공간을 확보하고, 창작에 열중하고, 심금을 울리는 활동을 선택할 필요가 있습니다. 저는 저 자신과 접촉하기 위해 명상에 집중하면서 실습을 시작하는 것을 선호합니다. 명상은 제가 미술 실습에 오롯이 집중하게끔 해줍니다.

# 재료

미술치료를 진행하기 위해서는 다양한 무독성 매체가 필요합니다. 드로잉을 위해서는 연필, 색연필, 오일 파스텔, 숯 그리고 다양한 색의 마커 등의 구색을 갖추는 것이 필수적입니다. 페인팅 매체로 저자가 선호하는 것은 정리하기 쉽고 빨리 건조되는 수채화와 아크릴입니다. 유화 물감은 건조되는 시간이 훨씬 더 오래 걸리고 독성 물질이 포함되었을 수 있으므로 추천하지 않습니다. 또한 유화는 별도의 청소 용액이 있어야 합니다. 이 책에서 소개하는 실습에 필요한 전체 항목 리스트는 다음과 같습니다:

## 드로잉 도구

- 여러 가지 색의 마커
- 검정 펜
- 목탄
- 색연필
- 그림용 연필
- 섬유 전용 마커(패브릭 마커)
- 오일 파스텔

## 물감류

- 아크릴 물감
- 섬유 전용 물감
- 수성펜
- 스프레이용 페인트
- 수채화 물감

## 종이류

- 크라프트지
- 중량감이 있는 도화지
- 일기장
- 잡지
- 우드록
- 휴지
- 투사지

## 조각

- 알지네이트(Alginate, 역자: 치과에서 치아를 본뜰 때 사용하는 재료로, 석고 뜨기 용품으로 대체 가능함)
- 알루미늄 포일
- 다양한 나무상자 또는 마분지 상자
- 도기 그릇
- 줄
- 원단
- 페이스 몰드
- 부직포
- 일상적 오브제(역자: 주변 사물들)
- 제소(Gesso) 스프레이

- 모드포지(Mod Podge®, 역자: 직물용 접착제나 바니쉬로 대체 가능함)
- 모델 매직(Model Magic®, 역자: 컬러점토로 대체 가능함)
- 석유 젤리(역자: 흔히 바셀린으로 불림)
- 사진
- 베개 충전재(역자: 구름 솜 또는 방울 솜)
- 석고붕대
- 폴리머 클레이(오븐 점토)
- 조각용 도구
- 자연 건조되는 찰흙
- 양철로 된 사탕 상자(역자: 틴케이스)
- 철사

## 보조 재료

- 드라이어
- 컴퓨터(태블릿, 랩톱 또는 탁상형 컴퓨터가 작업에 가장 적합함)
- 물이 담긴 컵
- 지우개
- 딱풀
- 망치
- 글루건과 글루건 심
- 액상 접착제

- 마스킹 테이프
- 붓
- 비닐봉지(작은 것과 큰 것)
- 프린터
- 가위
- 재봉틀(선택 사항)
- 재봉 바늘
- 스마트폰
- 실

# 건강을 위한 치유의 공간

미술치료 세션을 위해 안전하고 멋진 공간을 마련하는 것은 매우 중요합니다. 미술치료를 하기에 이상적인 공간은, 개인전용으로 사용 가능하고, 자연 채광을 위한 창문이 있으며, 작업하기 좋은 테이블과 풍족한 미술 재료들이 갖추어진 곳입니다. 집단 미술치료의 세팅은 참여자들이 큰 테이블 주위에 동그랗게 둘러앉아 집단의 의사소통과 결속력을 높일 수 있어야 합니다. 치료사는 실습을 시작하기에 앞서 모든 재료를 미리 준비합니다. 재료를 테이블 가운데에 두면 같이 사용하기 수월합니다. 만약 이 실습을 혼자서 한다면, 산만하지 않은 공간에서 하는 것이 좋습니다. 준비된 공간에 "방해하지 마세요"라고 표시해 두는 것도 도움이 될 것입니다.

만약 한 명이 단독으로 미술 실습을 한다면, 다양한 생각과 감정을 다루기 위해 미술치료사와 함께 세션에 임할 것을 적극 추천합니다. 혼자서는 알아차리기 힘들더라도, 치료사와 함께라면 통찰력과 성찰을 얻을 수 있을 것입니다. 치료사들은 대면 예약뿐 아니라 온라인 세션도 진행할 수 있습니다. 온라인 세션에서는 HIPA 인증 플랫폼을 통해 내담자를 만나는데, 이는 세션의 기밀 유지가 보장된다는 것을 의미합니다.

# 워밍업과 마음의 스트레칭

이번에 소개하는 워밍업은 시간이 더 오래 걸리는 실습을 하기에 앞서, 긴장을 풀고 표현력을 실행하기 좋은 방법입니다. 사람들은 아무것도 그려지지 않은 백지 한 장에 종종 겁을 먹기도 합니다. 워밍업 훈련은 이런 장벽을 허물고 이완하는 과정을 장려할 수 있습니다. 저자가 소개하는 워밍업 중 적어도 하나는 매일 완수하기를 바랍니다. 매일 몇 분씩 치유적인 의식을 행하다 보면, 긍정적인 정신 건강을 촉진하는 새로운 습관을 배울 수 있게 된답니다.

# 감정 인식

실습 시간: 10분
효과: 감정의 인식과 표현

**재료:**
수성펜, 크레용 또는 마커(좋아하는 어떤 재료도 무방함), 중량감이 있는 2절 도화지 한 장

1. 오늘 당신의 감정이 담긴 색을 하나 고르세요.
2. 그 색으로 원을 하나 그립니다.
3. 선과 형태를 사용하여 원 안에 이미지를 더 그린 후 오늘 당신의 감정이 어떤지를 확인해 봅시다.
4. 작품에 제목을 붙여 보세요.

# 선(lines)으로 호흡하기

실습 시간: 10분
효과: 호흡에 대한 인지를 높이고 이완을 도움

**재료:**
붓, 수채화 물감, 중량감이 있는 2절 도화지 한 장, 물 한 컵

1. 붓을 물에 적신 후 칠할 색상을 선택합니다.
2. 코로 숨을 깊게 들이마십니다. 붓을 도화지의 왼쪽 위 모서리에 놓는 동안 숨을 참습니다. 그리고 숨을 천천히 내쉬면서 물결선을 그려 보세요.
3. 같은 색상 또는 다른 색상(다른 색상이면 붓을 헹구는 것을 잊지 마세요)의 물감을 선택하여 붓에 묻힙니다. 도화지에 붓을 대면서 숨을 깊게 들이마셔 보세요. 이번에는 숨을 내쉬면서 한 번의 호흡으로 큰 원을 그립니다.
4. 색을 고르되, 이번에는 숨을 짧게 들이쉬고 내쉽니다. 숨을 내쉴 때마다, 도화지에 빨리 흔적을 남기거나 표시를 합니다.
5. 마지막 색을 고른 후 숨을 깊게 들이마십니다. 숨을 내쉬면서 나만의 기호나 상징을 정해 더 그려 줍니다.

# 가장 좋아하는 노래 그리기

실습 시간: 5분

효과: 자신의 기분을 표현적인 선 그리기 행위로 연결함

**재료:**

가장 좋아하는 노래를 크게 재생, 색연필, 중량감이 있는 2절 도화지 한 장

가장 좋아하는 노래를 재생한 후, 느껴지는 멜로디를 선과 색을 사용하여 도화지에 표현합니다.

# 난화 그리기

실습 시간: 10분

효과: 무의식적인 욕구나 문제에 접근함

**재료:**

오일 파스텔, 중량감이 있는 2절 도화지 한 장, 색연필

1. 눈을 감은 후, 오일 파스텔로 종이에 낙서하듯이 선을 그립니다.

2. 다른 각도에서 난화를 바라보세요. 선의 길이와 질감을 관찰합니다.

3. 색연필을 사용하여 난화에서 이미지를 만들어 봅시다.

# 당신의 이름은 무엇인가요?

실습 시간: 10분
효과: 표현력 촉진과 자아 존중감 향상

**재료:**
여러 가지 색의 마커, 중량감
이 있는 2절 도화지 한 장

1. 아무 색이나 사용하여 종이의 왼쪽에서 오른쪽으로 당신의
   이름을 쓰되, 블록체(block letters)로 써 봅시다.
2. 당신의 이름과 첫 글자가 일치하는 긍정적인 단어를 생각해
   보세요. 이 단어를 종이 아무 곳에나 그려 주세요.
3. 당신이 가장 좋아하는 색을 고른 후 당신의 이름이 적힌 블
   록체를 꾸며 보세요.

# 자유롭게 표현하기

실습 시간: 10분
효과: 큰 동작으로 긴장 완화와 표현력 증진

**재료:**
마스킹 테이프, 큰 사이즈의
크라프트지, 여러 가지 색의
마커

1. 마스킹 테이프를 사용하여 큰 사이즈의 크라프트지 한 장
   을 벽에 붙입니다.
2. 아무 색의 마커를 고른 후 일어선 상태에서 팔을 움직여 크
   라프트지에 큰 원을 하나 그립니다.
3. 다른 색들을 사용하여 크라프트지에 계속해서 큰 원을 많
   이 그려 봅시다. 양팔을 번갈아 사용해 보세요.

# 명상에 집중하기

실습 시간: 5분

효과: 명상 훈련, 이완 촉진, 뇌 각성상태의 진정과 지금 이 순간에 대한 집중력 향상

**재료:**

〈명상에 집중하기〉를 위해 〈https://leahguzman.com/centering-meditation〉이 재생 가능한 핸드폰이나 컴퓨터

1. 편안한 곳에 앉아 명상에 관한 영상물을 재생합니다.
2. 재생이 시작되면 명상 과정을 따라 합니다.
3. 이 호흡 운동을 세 번 반복하세요. 만약 어떤 상념이 떠오른다면, 그냥 떠오른 대로 두었다가 흘려보냅니다.

# 감사한 일 기록하기

실습 시간: 5분

효과: 신경계에 긍정적인 효과 증진

**재료:**

일기장, 펜

오늘 있었던 일 중 당신이 감사한 일 다섯 가지를 일기에 적어 봅시다. 이 실습은 아침에 일어나거나 잠자리에 들 때 매일 실천할 수 있습니다.

# 다짐의 힘

실습 시간: 10분

효과: 긍정적인 마음가짐 형성, 다짐을 돕는 실생활을 확인함

**재료:**

연필, 중량감이 있는 2절 도화지 한 장, 여러 가지 색의 마커

1. 버블체나 블록체로 나의 다짐을 종이에 연필로 씁니다. 다짐이란, 목표 달성을 돕기 위해 계획된 긍정적이고 짤막한 말입니다. 아직 그 목표가 사실이 아니라고 느껴지더라도 마치 뭔가 실제로 일어난 것처럼 여기는 것이 중요합니다. 다짐을 계속해서 반복하면 현실이 될 것입니다. 다짐의 예는 다음과 같습니다:

   나는 가치 있는 사람이다.

   나는 실수해도 괜찮다는 것을 배우는 중이다.

   나는 삶의 새로운 의미를 받아들인다.

   나는 있는 그대로의 나를 사랑하고 수용한다.

2. 마커를 고른 후 이 메시지를 따라 써 보세요. 당신이 매일 볼 수 있는 곳에 이 메시지를 걸어둡니다. 강한 믿음을 갖고 매일 큰소리로 다짐을 말합니다. 긍정적인 생각은 긍정적인 감정을 일으키고 긍정적인 삶의 경험을 끌어들입니다.

# 마음 챙김 스케치

실습 시간: 10분

효과: 현재에 대한 주의력과 집중력 향상

**재료:**

그림용 연필, 중량감이 있는 2절 도화지 한 장

근처에 있는 사물(머그잔, 식물이나 책 같은 것)을 고른 후 사물의 형상을 스케치합니다. 세부 묘사는 원하는 만큼 합니다.

Part Two

# 치료의
# 미술
# 실습 편

# Chapter Two

# 페인팅과 드로잉

드로잉과 페인팅은 창의성에 접근하기 좋은 기법입니다. 연필과 펜으로 드로잉을 하는 것은 사고의 조직력과 통제력을 제공하는 반면, 붓으로 페인팅을 하는 것은 유연함과 이완감을 제공합니다. 이 두 기법 모두 감정을 표현하는 데 사용될 수 있습니다. 스케치북을 곁에 두고 주변을 그리거나 영감을 주는 아이디어를 포착하거나 감정을 기록해 봅시다. 이것은 감정과 그 감정을 유발하는 요인을 탐색하기 좋은 방법입니다.

# 길잡이 동물

**효과:**

자기 인식 향상,
감정 회복탄력성 발달과
개개인의 강점 인식을 도움

**준비 시간:**
10분
**실습 시간:**
50분

**재료:**

그림용 연필
중량감이 있는 2절 도화지 한 장
검정 펜
색연필

동물 그리기는 영감을 얻고 위로를 받는 데 도움이 됩니다. 하지만 가장 중요한 것은, 당신이 그리기 위해 선택한 동물이 자신에 대한 통찰력과 중요한 메시지를 전한다는 것입니다. 동물을 그리는 것은 그때의 당신이 누구인지 혹은 당신이 어떤 사람이 될 수 있는지를 보여줄 수 있습니다. 각각의 동물은 당신과 관계된 강점 및 특징을 가지고 있습니다. 한 번은 저의 내담자가 거북이를 선택하여 인생을 느리게 살아가는 것과 연관 지은 적이 있습니다. 하지만 우리가 거북이에 관해 더 많은 대화를 나누자, 그녀는 느리게 움직이는 것이 반드시 부정적이지만은 않다고 깨닫기 시작했습니다. 느리다는 것은 급하게 가는 것을 멈추고 인생의 작은 순간들을 즐기는 방법이기도 합니다.

**방법:**

1. 시간을 갖고 세 마리의 동물을 골라 보세요. 첫 번째 동물은 당신을 육체적으로(당신이 어떻게 움직이거나 어떻게 보이는지) 보여주는 것이어야 하며, 두 번째 동물은 당신을 정서적으로(당신이 어떻게 느끼는지) 보여주는 것이어야 하며, 마지막 동물은 당신을 인지적으로(당신이 어떻게 생각하는지) 보여주는 것이어야 합니다.

2. 연필을 사용하여 세 마리의 동물을 종이에 그립니다. 동물들을 완벽하게 그리려고 하지 마세요. 창의적인 자세로 당신이 보거나 적합하다고 느낀 대로 동물들을 그립니다. 영감을 얻기 위한 도움이 필요하다면, 동물의 이미지를 활용해 보세요.

3. 동물들이 살아가는 환경(산, 계곡, 정글, 집, 동물원 등)을 더 그려줍니다. 여러 서식지를 같은 종이 한 장에 담을 수 있습니다.

4. 이제 연필 스케치가 완성되었으면, 검은색 펜으로 연필 선 위를 따라 그려 봅시다.

5. 색연필을 사용하여 이미지를 색칠합니다.

## 대화를 위한 질문들

- 각 동물의 강점을 이야기해 봅시다. 그 동물들의 강점은 당신과 어떤 관련이 있나요?

- 삶의 상황에 대처하기 위해 이러한 강점들을 어떻게 활용할 수 있을까요?

- 어떻게 하면 당신이 선택한 동물들과 함께 살아갈 수 있을까요?

# 감정 바퀴

**효과:**

정서를 지배하는 감정 인지

**실습 시간:**
50분

**재료:**

그림용 연필

중량감이 있는 2절 도화지 한 장

색연필

오일 파스텔

감정 조절의 첫 번째 단계는 <감정 바퀴>에 있는 감정과 연결될 수 있습니다. 현재의 감정을 파악하는 것은 자기 인식의 발달에 있어서 중요합니다. 이 실습은 당신의 감정에 이름을 붙이고 대화함으로써 당신이 감정을 인식하는 것을 도울 것입니다. 만약 특정 감정을 표현하는 것이 어렵다면, 행복, 기쁨, 슬픔, 냉담, 지루함, 화남, 격노, 좌절, 사랑, 충격, 불안, 또는 혐오감 중 마음에 와닿는 것을 하나 골라 시작해도 됩니다.

**방법:**

1. 연필로 종이에 큰 원을 하나 그립니다. 원을 그리는 것이 어렵다면 둥근 물건을 대고 따라 그려도 좋습니다. 주방용 그릇을 대고 따라 그리면 수월합니다.

2. (파이처럼) 원을 8개의 삼각형으로 나눕니다.

3. 각 삼각형의 가장자리에 당신의 감정을 적어 봅시다. 8개의 삼각형 위쪽에 8개의 감정이 적힌 채로 완료되면 됩니다.

4. 당신이 적은 감정과 근접한 색을 하나 선택한 후, 색연필과 오일 파스텔을 사용하여 삼각형을 색칠합니다. 당신이 적은 감정 글씨에 색칠하지 않도록 유의하세요. 8개의 삼각형을 각각 이런 방식으로 색칠합니다.

## 대화를 위한 질문들

- 당신은 무슨 감정을 가장 먼저 적었나요?
- 당신이 현재 느끼는 감정은 무엇인가요?
- 두 가지 감정을 같은 색으로 칠한 것이 있나요? 만약 그랬다면, 이것이 당신에게 의미하는 것은 무엇인가요?
- 당신의 〈감정 바퀴〉에 긍정적이거나 부정적인 감정들이 더 존재하나요?

**집단 치료에서는** 참여자가 자신의 작업을 조용히 분석하게끔 개별로 일러줍니다. 이후 집단 구성원들은 다른 이들과 함께 그들이 각자 분석한 것을 공유합니다.

# 정서적 풍경

효과 :

정서를 지배하는 감정 인지


준비 시간:
5분
실습 시간:
45분


재료 :

중량감이 있는 2절 도화지 한 장
그림용 연필
붓
수채화 물감
물 한 컵

<정서적 풍경>은 당신이 어떻게 느끼는지에 관한 은유를 나타냅니다. 이것은 상징적인 방식으로 당신의 감정을 탐색하는 기회가 됩니다. 당신의 현재 정서는 어떻게 하나의 장면으로 전환되나요? 당신이 만든 풍경에 배경, 중간 지대와 전경이 있다고 생각해 봅시다. 창의적인 자세로 심상을 떠올려보세요. 당신이 만든 <정서적 풍경>은 구불구불한 언덕, 산, 사나운 바다, 척박한 사막, 또는 풀이 무성한 정원이 될 수 있습니다. 또한 이 풍경은 매일 혹은 매주 다르게 나타날 수도 있습니다.

**방법:**

1. 5분 동안 자리에 앉아 현재 당신의 상태를 점검해 봅시다. 지금, 이 순간 당신에게 어떤 정서와 감정이 일어나는지를 깊이 생각해 보세요. 현재의 기분을 시각적으로 표현할 수 있는 하나의 풍경을 떠올려봅시다. 영감을 얻기 위해 책이나 인터넷에서 자유롭게 이미지를 찾아도 좋습니다.

2. 당신이 시각화한 풍경을 종이에 연필로 그려 봅니다.

3. 붓에 그림물감을 묻혀 풍경화에 다양한 색을 칠해 봅시다. 붓을 물에 담근 후 색을 변경하거나 더 밝거나 어두운 특정 색을 만들 수도 있습니다.

4. 그림에 제목을 붙여 봅시다.


**대화를 위한 질문들**

- 당신의 그림은 지금 당신이 느끼는 감정을 말해주고 있나요?

- 그런 감정을 느낀 지 얼마나 오래되었나요?

- 만약 당신이 작아져서 그림 안으로 뛰어들 수 있다면, 그림의 어느 부분으로 가고 싶나요?

- 그림이 전하는 메시지가 있나요?

# 다리 그리기

**효과 :**

목표, 장애물과 도전과제 인지

**실습 시간:**

55분

**재료 :**

그림용 연필

중량감이 있는 2절 도화지 한 장

아크릴 물감

붓

물 한 컵

다리(Bridge)는 안정과 연결을 은유적으로 보여줍니다. 다리는 당신이 가고 싶은 곳이 어디인지, 어떻게 그곳에 갈 것인지, 그리고 그 과정에서 극복해야 할 장애물이 무엇인지를 상징합니다. 다리는 다리를 건너는 여정에 영향을 줄 수 있는 재료(콘크리트, 강철, 나무, 그리고 밧줄)로 만들어집니다. 튼튼한 콘크리트 다리에 내딛는 첫걸음과 밧줄로 만든 다리에 내딛는 첫걸음을 상상해 보세요. 실습에 앞서 먼저 다리를 만들 재료를 생각해 봅시다.

## 방법:

1. 종이에 연필로 다리를 스케치합니다. 다리의 왼편에는 당신이 남겨놓고 떠나는 이미지를 그립니다. 다리의 오른편에는 당신이 가고 있는 곳을 그립니다. 다리 아래에는 가는 길에 마주친 장애물을 그리세요.

2. 물감으로 그림을 칠합니다.

3. 그림에 당신 자신을 넣어 봅시다. 당신은 이 다리와 이 여정의 어디쯤 있나요? 점, 막대 모양 또는 자신을 표시하기 위해 고른 다른 어떤 상징이든 넣어서 당신의 위치를 나타낼 수 있습니다.

## 대화를 위한 질문들

- 지금까지 당신의 도전을 방해한 것은 무엇인가요?

- 이러한 도전은 당신에게 얼마만큼 중요한가요?

- 이러한 도전을 극복하기 위해 할 수 있는 5가지 단계는 무엇인가요?

# 가장 좋아하는 하루

**효과 :**

기분 상승, 이완과 협동력 고취

**준비 시간:**
5분
**실습 시간:**
55분

**재료 :**

그림용 연필

중량감이 있는 2절 도화지 한 장

색연필

수채화 물감

붓

물 한 컵

오늘 만약 당신이 원하는 것을 무엇이든 할 수 있다면, 무엇을 하고 싶나요? 돈 문제, 일정 문제, 다른 문제들처럼 통상적으로 나에게 부과되는 모든 제약사항은 뒤로 하세요. 정해진 틀에서 벗어나 제약 없는 하루를 보내는 것은 당신의 기분을 들뜨게 하고 희망을 품을 수 있게 합니다.

**방법:**

1. 최소 5분간 당신의 이상적인 하루가 어떨지 생각해 봅시다. 당신은 하고 싶은 모든 것을 할 수 있습니다. 잠자리에서 언제 일어날 건가요? 혼자서 하루를 보낼 건가요, 아니면 다른 사람들과 함께 보낼 건가요? 집에 있을 건가요, 아니면 다른 곳으로 갈 건가요? 세세한 것들을 곰곰이 생각해 보세요.

2. 당신이 가장 좋아하는 하루를 종이에 연필로 그려 보세요. 한 장소에서의 한 장면이 될 수도 있고 많은 활동을 포함할 수도 있습니다.

3. 색연필이나 수채화 물감을 사용하여 그림에 색을 입혀 봅시다.

## 대화를 위한 질문들

- 이 실습을 마쳤을 때 어떤 감정들이 올라왔나요?
- 시간을 어떻게 보내고 싶은지 생각했을 때 어떤 활동들이 떠올랐나요?
- 만약 당신에게 원하는 삶을 선택할 힘이 있다면, 어떤 삶이 그려지나요?

**집단 치료에서는** 다른 사람과 그림을 교환한 후 그 그림을 이어 그려 봅시다. 누군가의 그림을 이어 그리는 것은 집단 내 결속력을 만들고 유대관계를 강화합니다. 다른 사람의 상상력이 당신의 작품이 되는 것을 보는 것 또한 재미납니다.

# 안전한 장소

**효과:**

불안 완화를 돕는
안전한 공간 만들기

**실습 시간:**
50분

**재료:**

중량감이 있는 2절 도화지 한 장
여러 가지 색의 마커
색연필
오일 파스텔

종이에 안전한 장소를 만드는 것은, 당신을 불안하게 하는 요인을 줄여주는 데 도움이 될 수 있습니다. 그 요인이란 부정적인 경험과 관련되며, 당신을 공황 상태에 빠트리는 소음, 냄새, 또는 하나의 장면과 같은 것입니다. 트라우마의 촉발요인은 당신이 처음 트라우마를 겪은 상태로 돌아가게끔 자극합니다. 이 요인은 사람마다 모두 다릅니다. 안전한 장소를 그림으로 표현하는 것은, 트라우마 촉발 요인이 발생할 때 당신이 그 장소를 시각적으로 활용하게끔 도와줍니다. 안전한 장소를 만드는 목적은 휴식하고 마음에 안정감을 느끼게끔 하는 데 있습니다. 만약 당신의 트라우마가 너무 심하고 안전한 장소의 이미지를 떠올리기 힘들다면, 은유를 활용해 보세요. 대표적으로 일몰, 해변의 풍경, 클럽하우스(역자: 오디오 기반의 소셜 네트워크 앱) 등이 있습니다.

**방법:**

1. 가장 편안하다고 느껴지는 장소(야외, 실내 또는 환상의 세계)를 생각합니다. 가령, 해변은 당신에게 고요함을 가져다줄지도 모릅니다. 아니면 당신의 침실이 될 수도 있고요. 어쩌면 마법의 성일 수도 있습니다.

2. 마커, 색연필 또는 오일 파스텔을 사용하여 편안한 장소를 종이에 그려 봅시다. 당신을 편하게 하는 세부 묘사와 색을 추가하는 것을 잊지 마세요.

**대화를 위한 질문들**

- 당신에게 불편감을 떠올리게 하는 것들이 있나요?
- 긍정적인 사고와 안정감을 주는 장소, 냄새 또는 사람들이 있나요? 몇 가지를 떠올려봅시다.
- 당신에게 스트레스를 일으키는 요인이 무엇인지 안다는 것은, 스스로 그 상황에 대처하게끔 합니다. 친구와의 대화, 일기 쓰기, 또는 명상과 같은 다른 방안들이 당신의 대처에 도움이 되나요?

# 실물 크기의 신체화

**효과 :**

자아개념, 자기 인식과
개인의 강점 향상


**실습 시간:**
1시간


**재료:**

참여자의 키에 맞는
크라프트지 한 장
그림용 연필
마스킹 테이프
아크릴 물감
다양한 붓
물 한 컵

이 실습은 신체의 여러 부위를 활용하여 어떻게 감정을 전달하는지를 알려줍니다. 이는 또한 당신이 각기 다른 신체 영역을 느끼는 방식을 일깨우도록 도울 것입니다. 당신은 특정 영역에서 스트레스를 받고 있나요? 자신의 어떤 부분을 좋아하나요? 성 확정 수술을 받고 싶어 했던 제 의뢰인 중 한 명은 그녀의 가슴에 커다란 수평선을 그렸습니다. 이는 그녀가 싫어하는 것을 현재의 신체로 표현하는 기회가 되어 주었고, 앞으로 만들고 싶은 변화와 관련한 담화로 이끌었습니다. 또한 그녀가 여전히 사랑하는 신체 부위를 발견하는 계기도 되었습니다.

**방법:**

1. 크라프트지를 바닥에 놓습니다.

2. 크라프트지 위에 누워 연필로 몸을 따라 그리세요. 몸의 하반신을 그리기 위해서는 상반신을 일으켜 앉아 그려야 할 수도 있습니다.

3. 마스킹 테이프를 사용하여 벽에 크라프트지를 붙입니다.

4. 신체를 그린 윤곽선 안에 물감을 칠하여 당신의 내면에서 무슨 일이 일어나고 있는지를 설명해 보세요. 신체적, 정신적 감정과 생각을 모두 포함하여 설명합니다.

5. 당신의 에너지와 느껴지는 감정을 선과 색으로 표현해 보세요.

6. 당신의 신체에서 강점이 있는 곳을 찾아 신체 이미지에 표시합니다.

## 대화를 위한 질문들

- 지금 당신 자신이 어떻게 보이나요?

- 당신의 강점은 어디에 있으며, 그 이유는 무엇인가요?

- 당신의 스트레스는 어디에 있으며, 그 이유는 무엇인가요?

- 이 그림이 당신의 삶에 어떻게 적용되는지를 생각해 봅시다. 만약 당신이 싫어하는 자신의 어떤 부분이 있다면, 그것을 변화시킬 수 있나요?

- 당신이 자신에 대해 사랑하는 부분들을 어떻게 칭찬할 수 있을까요?

**집단 치료에서는** 크라프트지에 당신의 신체 윤곽선을 그리는 것을 도와줄 사람과 짝을 지어보세요. 이 단계를 위해서는 파트너 간에 신뢰하는 것이 중요합니다.

# 힘 얻기

**효과 :**

건설적인 대처 능력 향상

**준비 시간:**
5분
**실습 시간:**
45분

**재료 :**

그림용 연필

중량감이 있는 2절 도화지 한 장

아크릴 물감

붓

물 한 컵

색연필

내면의 힘과 자신감은 힘든 시간을 잘 대처하게끔 합니다. 개인이 지닌 힘은 삶의 환경에 적응하고, 행동에 책임을 지고, 필요와 욕구를 표현할 수 있게 합니다. 스스로 감정을 효과적으로 다스릴 수 있을 때, 강력한 힘을 느낄 것입니다. 당신에게는 삶의 사건들에 대해 어떻게 반응할지 선택할 힘이 있습니다. 감정을 다스리기 위한 대처 도구를 사용하면 반드시 삶에 변화가 생깁니다. 당신의 힘을 이해하고 받아들이면 목표를 이룰 수 있을 것입니다.

## 방법:

1. 당신만의 힘을 보여주는 하나의 상징을 최소 5분간 생각해 봅시다. 이 상징은 방어를 위한 것일 수도 있으며, 현재의 강점을 표현하기 위해 사용되는 무언가일 수도 있습니다.

2. 이 상징이 무엇처럼 보이는지를 떠올리면서 종이에 연필로 스케치합니다.

3. 물감이나 색연필을 사용하여 스케치에 색을 입혀 보세요.

## 대화를 위한 질문들

- 당신의 인생에서는 어떤 힘이 부족한가요?

- 당신의 하루에 깊숙이 파고들어 보세요. 당신에게 힘을 주는 때는 하루 중 언제인가요?

- 어떤 이들에게는, 작은 장식물이나 크리스털과 같은 물건을 지니고 다니는 것이 그들에게 힘을 주고 강점을 갖는 데 도움이 됩니다. 당신에게는 어떤 물건이 이런 힘을 줄 수 있나요?

# 치유의 상징들

**효 과 :**

자아 존중감과 대처 능력 향상

**실습 시간 :**
50분

**재 료 :**

컴퓨터

중량감이 있는 2절 도화지 한 장

투사지

연필

아크릴 물감

붓

물 한 컵

상징은 인간의 신념에 따라 많은 해석이 가능합니다. 치유의 상징은 평화를 불러일으키는 이미지들이며 매우 개인적입니다. 상징에서 강점을 발견함으로써 힘을 느낄 수 있습니다. 상징에 대한 영감은 동물, 로고, 자연, 또는 일상적인 사물에서도 찾을 수 있습니다. 많은 내담자는 변신과 변화의 상징으로 나비를 선택합니다. 다른 내담자들은 희망의 표시로 꽃을 고르거나, 자아의 힘을 함양하기 위해 동물을 선택합니다. 점점 힘든 시간을 보내게 될 때, 지원 메커니즘으로 치유의 상징을 참조할 수 있습니다. 자기 계발을 상기시키기 위해 집에 치유의 상징물을 걸어두는 것도 좋은 방법이 되겠습니다.

**방법 :**

1. 치유의 과정을 보여주는 상징을 하나 선정합니다.

2. 인터넷에서 이 상징의 이미지를 찾아 인쇄합니다.

3. 투사지와 연필을 활용하여 인쇄 이미지를 종이에 옮겨 그립니다. 만약 투사지가 없으면 컴퓨터 화면을 라이트박스처럼 사용할 수 있습니다. 컴퓨터 화면 위에 종이를 대고, 그 이미지를 따라 그리면 됩니다.

4. 이미지를 물감으로 칠하고, 배경에도 색을 입혀 줍니다.

**대화를 위한 질문들**

- 작품에서 당신을 놀라게 하는 무언가가 보이나요?
- 당신의 상징을 일상에 어떻게 적용할 수 있을까요?

# 트라우마의 순간들

**효과:**

트라우마 떠올리기와
감정 처리하기

**실습 시간:**
50분

**재료:**

그림용 연필

중량감이 있는 2절 도화지 한 장

색연필

외상 사건들에는 자연재해, 심각한 사고, 테러 행위, 전쟁/전투, 폭행 및 기타 폭력적인 범죄들이 포함될 수 있습니다. PTSD를 앓는 사람은 사건이 발생한 지 몇 달 또는 몇 년 후에 그 증상을 경험할 수도 있습니다. PTSD의 증상에는 악몽, 원치 않는 사건의 기억들, 고조된 반응, 불안 또는 우울증이 포함될 수 있습니다. 이 실습은 당신에게 외상 사건이 발생하기 직전, 발생하던 중, 그리고 이후에 일어난 일들의 순서를 명료하게 해줄 것입니다. 외상 사건을 경험한 많은 이들은 그 충격으로 인해 세부적인 사항을 떠올리는 것을 매우 어려워합니다. 그 사건을 그림으로 나타내는 것은, 사건에 관한 이야기를 다시 언급하여 당신의 기억에 통합하는 것을 도울 수 있습니다.

**방법:**

1. 종이에 연필로 선을 그려 세 칸을 같은 비율로 나눠 줍니다.

2. 첫 번째 칸에는 외상 사건이 일어나기 전의 삶을 색연필로 그려 봅시다. 두 번째 칸에는 외상 사건을 그립니다. 세 번째 칸에는 사건 이후의 삶을 그립니다.

3. 그런 다음, 당신의 이야기를 다시 들려줄 때 당신의 감정적인 반응을 종이 뒷면에 적어 보세요. 참고: 만약 감정 처리를 위한 도움이 필요하다면, 미국 미술치료협회(AATA) 웹사이트를 통해 숙련된 치료사를 만나 보길 권합니다(역자: 국내의 경우 인터넷을 통해 여러 관련 사이트를 찾을 수 있음).

## 대화를 위한 질문들

- 당신에게는 감정 처리를 위한 어떤 지지체계가 있나요?
- 그 사건을 당신의 삶에 통합하기 위해서는 이제 어떤 식으로 당신의 이야기를 해 볼 수 있을까요?

# 나만의 정원

**효과:**

자기 인식 함양 및
개인의 강점과 약점을
파악하는 것을 도움

**준비 시간:**
5분
**실습 시간:**
45분

**재료:**

중량감이 있는 2절 도화지 한 장
여러 가지 색의 마커
오일 파스텔

정원은 삶에 대한 아름다운 은유입니다. 제가 가장 좋아하는 명언 중 하나는, "꽃은 자신의 옆에 핀 꽃과 경쟁하지 않는다. 꽃은 그냥 피어난다."입니다. 우리는 모두 자신만의 길을 가고 있지만, 정원처럼 살아가야 합니다. 이 실습에서 정원은 당신의 머리 부분을 상징합니다. 정원을 가꿈으로써 도전과 보상이 주어질 수 있습니다. 정원을 만드는 것은 당신의 목표와 그 목표에 이르는 것을 방해하는 장애물을 확인하는 데 도움이 될 것입니다.

**방법:**

1. 5분간 자신의 정원이 지닌 은유를 상상해 봅시다. 건강한 식물은 당신의 긍정적인 강점과 특성을 나타내고, 씨앗은 당신의 목표를 나타내며, 잡초는 당신이 목표에 도달하지 못하게 방해하는 문제점들을 보여줍니다.

2. 건강한 식물과 같은 긍정적인 강점을 마커와 오일 파스텔로 그려 봅시다.

3. 씨앗(또는 싹을 틔우는 식물)처럼 이루고 싶은 목표를 그려 봅시다.

4. 목표 달성을 방해하는 것을 표현하기 위해 잡초를 그려 봅시다.

5. 정원을 가꾸는 데 필요한 다른 세부 묘사를 추가로 그려 봅시다.

### 대화를 위한 질문들

- 당신의 정원에 있는 식물, 씨앗, 잡초를 어떻게 설명해 볼까요?

- 정원을 관리하는 방법에는 어떤 것들이 있을까요?

- 당신의 인생에서 잡초를 뽑은 후 씨앗을 키우기 위한 다음 단계는 무엇인가요?

# 삶에 대한 시각적 은유

**효과:**

정서를 지배하는 감정 인지

**준비 시간:**
5분

**실습 시간:**
45분

**재료:**

중량감이 있는 2절 도화지 한 장
색연필
수채화 물감
붓
물 한 컵

시간을 갖고 현재 당신의 인생을 생각해 봅시다. 어떤 은유들이 떠오르나요? 인생에 대한 한가지 효과적인 은유는 풍경입니다. 잔디가 낮게 깔린 채 완만하게 굽은 언덕의 풍경과 세차게 휘몰아치는 바람에 휘청거리는 나무의 풍경을 비교해서 바라볼 때 당신에게 밀려오는 감정을 생각해 보세요. 제가 가장 좋아하는 은유적인 이미지 중 하나는 바로 빨간 문이 있는 장면입니다. 제 내담자는 지금의 자신을 떠나보내기 위한 문들을 그렸는데, 그 문들은 마치 미래를 향한 새로운 삶의 기회로 그녀를 인도하듯이 열려 있었습니다. 현재 당신의 삶을 상징하는 다양한 사물이나 당신이 향하는 곳을 생각해 보세요.

**방법:**

1. 15분 동안 당신의 인생을 돌아봅시다. 당신의 현재 상태를 보여주는 은유는 무엇인가요?

2. 당신을 시각적으로 보여주는 은유를 종이에 색연필로 스케치합니다.

3. 물감으로 그림에 더 많은 색을 칠해 봅시다.

**대화를 위한 질문들**

● 그림을 그리는 동안 어떤 감정이 올라왔나요?

● 현재 당신의 인생은 어떤 감정과 연결되나요?

● 감정을 느끼고 풀어내기 위해서는 당신의 감정에 솔직해지는 것이 중요합니다. 경험하고 싶은 인생에 대한 또 다른 이미지가 있나요? 당신의 생각을 일기장에 써 봅시다.

# 깊은 감정 그리기

**효과 :**

감정 조절과 대처 능력 향상

**실습 시간:**

1시간

**재료 :**

심장의 윤곽선이 인쇄된
이미지

중량감이 있는 2절 도화지 한 장

가위

풀

색연필

아크릴 물감

붓

물 한 컵

많은 이들이 육체적으로나 정신적으로 위험한 스트레스를 마음에 둔 채 살아갑니다. 심장을 그린 후 은유적인 색으로 칠하는 것은, 마음속의 스트레스에 맞설 가시적인 방법을 만들어 감정을 치유할 수 있는 기회를 제공합니다. 스트레스를 다루는 방법에는 감사함, 친구로부터의 지지, 누군가와의 대화, 용서, 다른 사람을 돕거나 미술관에서 데이트하기와 같은 대처 도구를 발달시키는 것이 있습니다.

**방법:**

1. 인터넷에서 심장의 윤곽선이 그려진 이미지를 인쇄하거나, 색연필로 커다란 심장 모양을 종이에 그려 줍니다. 인터넷에서 심장을 인쇄했다면 외곽선을 오린 후 접착제를 사용하여 도화지에 붙입니다.

2. 심장 안에는, 지금 당신의 마음속 감정을 적어 보세요. 그리고 아크릴 물감을 사용하여 당신이 느끼는 감정을 다양한 색과 연결해 보세요.

3. 당신의 심장을 둘러싼 부분에는, 치유에 도움이 될만한 대처 능력을 나열해 보세요. 원한다면, 당신의 마음을 본뜬 심장을 선으로 그린 후 그 선 위에 대처 능력을 나열해도 좋습니다.

**대화를 위한 질문들**

- 당신은 어떤 감정을 마음에 두고 있나요?

- 그런 감정을 가진 지는 얼마나 되었나요?

- 당신의 마음이 자신에게 원하는 것은 무엇인가요?

- 새로운 대처 능력을 당신의 인생에 어떻게 적용하면 좋을까요?

# 다짐 고르기

**효과 :**

긍정적인 마음가짐 형성,
문제해결 능력과 의사 결정
능력의 향상

**실습 시간:**
1시간

**재료 :**

컴퓨터
길게 찢은 종이
그림용 연필
아크릴 물감
붓
물 한 컵
뚜껑이 있는 작은 유리병

다짐이란, 새로운 마음가짐으로 고정된 신념을 바꾸는 강력한 진술을 말합니다. 다짐한 것을 글로 쓰고 반복적으로 읽는 과정을 통해, 당신은 그 다짐이 사실이라고 믿게끔 뇌를 프로그래밍할 수 있습니다. 이 실습에서는 현재의 문제에 도움이 되는 다짐을 하나 고르겠습니다. 가령, 자기 존중감과 관련한 어려움을 겪고 있다면, 당신의 다짐은 "나는 나 자신을 사랑하는 법을 배우고 있습니다."가 될 수 있겠지요. 강력한 자기 진술은 하나의 신념으로 바뀔 수 있습니다.

**방법:**

1. 인터넷 검색을 통해 당신의 마음을 울리는 긍정적인 다짐을 하나 찾습니다.

2. 연필로 띠지(가늘고 긴 종이)에 다짐을 적어 봅시다.

3. 선택한 다짐을 마음에 두고, 그 다짐을 표현하는 이미지를 하나 생각해 보세요.

4. 이 이미지를 뚜껑이 있는 유리병에 물감으로 그려 줍니다.

5. 물감이 다 마르면, 다짐을 적은 종이를 유리병에 넣은 후 뚜껑을 닫습니다.

6. 완성된 유리병을 당신이 매일 볼 수 있는 장소에 놓습니다.

## 대화를 위한 질문들

- 당신이 고른 다짐은 당신의 삶과 어떤 관련이 있나요?

- 목록에 추가할 수 있는 다른 다짐들로는 어떤 것이 있을까요?

**집단 치료에서는** 각 참여자는 현재의 문제와 관련된 자기만의 메시지를 만듭니다. 참여자들끼리 서로 도와 다짐을 선택하거나 아이디어를 낼 수도 있습니다. 이미지가 완성되고 나면, 각 참여자가 자기 작품을 설명합니다.

# 가족 그리기

**효과 :**

정서적 문제와 관련한
가족 역학의 이해를 높임

**준비 시간:**
5분
**실습 시간:**
45분

**재료:**

그림용 연필

중량감이 있는 2절 도화지 한 장

색연필

오일 파스텔

어린 시절의 경험은 현재 맺고 있는 인간관계에 큰 영향을 줄 수 있습니다. 어린 시절의 관계를 돌아보는 것은 당신을 힘들게 하는 감정적인 문제들을 확인하는 데 도움이 됩니다. 이 실습에서는 각 가족 구성원과 당신 사이의 감정적인 역동뿐 아니라 그들이 당신의 유년기에 어떤 영향을 미쳤는가를 탐색하게 될 것입니다.

**방법:**

1. 가족 중 당신의 인생에서 중요했던 이들이 누구였는지 5분간 생각해 봅니다. 당신의 여정에서 없어서는 안 될 누군가를 결정해 보세요.

2. 그 가족 구성원들을 종이에 연필로 그려 보세요. 자신을 꼭 포함하여 그립니다.

3. 색연필과 오일 파스텔을 사용하여 작품에 색을 더합니다.

**대화를 위한 질문들**

- 당신의 옆에 서 있는 사람은 당신과 감정적으로 가장 가까운 사람인가요?

- 당신의 인생에서 그들의 존재나 부재는 지금의 당신에게 어떤 식으로 영향을 주었나요?

- 더 돈독한 관계로 발전하고 싶은 누군가가 있나요?

# 만다라 그리기

**효과 :**

집단 결속력, 소통, 스트레스
해소와 명상 기술 향상

**실습 시간:**
1시간

**재료 :**

연필
큰 사이즈의 크라프트지
가위
아크릴 물감
붓
물 한 컵

만다라는 산스크리트어로 원(circle)을 뜻합니다. 동양의 전통에서 원은 명상의 도구로 활용됩니다. 만다라를 실제로 만드는 행위가 곧 명상이 됩니다. 만다라에는 창작자가 직관적으로 만드는 모양과 기호가 있습니다. 수많은 만다라가 반복적인 패턴으로 집약적인 도안을 만들어 내지요. 이 실습의 목적은 작품 창작의 과정을 통한 이완에 있습니다. 45분간 미술 작업을 하는 것은 스트레스 호르몬인 코티솔의 감소와 직접적인 연관성이 있는 것으로 밝혀졌습니다.

**방법:**

1. 크라프트지 위에 연필로 큰 원을 하나 그린 후 그 원을 오립니다.

2. 편안하게 앉을 자리를 찾은 후 물감과 붓을 당신 앞에 둡니다.

3. 마음을 차분하게 하고 집중에 도움이 되는 간단한 호흡 운동을 합니다. 예를 들어, 넷을 세는 동안 숨을 들이마시고 넷을 세면서 숨을 참은 후 여섯을 세면서 다시 숨을 내쉽니다. 이것을 세 번 반복하세요.

4. 물감을 사용하여, 반복되는 패턴을 원 안에 그립니다.

## 대화를 위한 질문들

- 이 작업을 하는 동안 깊은 명상에 다다를 수 있었나요?

- 당신의 작품에 숨겨진 이야기는 무엇인가요?

- 당신이 그 색들을 사용한 이유는 무엇인가요?

**집단 치료에서는** 만다라에 패턴을 만들기 위해 참여자들을 크라프트 지 주위에 둥글게 둘러앉도록 합니다. 만약 참여자들이 다 함께 앉는 것이 어렵다면, 종이의 원이 집단의 수와 일치하도록 똑같이 나눕니다. 참여자들에게 조용히 작업하도록 일러둡니다. 모든 참여자의 작업이 끝나고 나면, 완성된 부분들을 모아 다시 원을 만들고, 작업한 부분에 대해 참여자들끼리 서로 이야기를 나누게 합니다. 이런 방식으로 함께 작업하게 되면 결속력과 편안한 분위기가 만들어집니다.

# 강점 방패

**효과 :**

개인의 강점 인지


**실습 시간:**
50분


**재료 :**

그림용 연필

중량감이 있는 2절 도화지 한 장

가위

색연필

오일 파스텔

방패는 무언가를 보호하는 상징과 힘으로 알려져 있습니다. 방패는 무거운 금속으로 만들어졌으며, 이전에는 병사들이 전투 중에 자신을 보호하기 위해 사용하였습니다. 방패에 새겨진 독특한 문장(紋章)은 그들이 보호하려는 대상을 나타냅니다. 이 실습에서는 자기만의 힘을 지닌 방패를 만들겠습니다. 당신이 그린 도안은 당신이 혼란의 시간을 보낼 때 힘을 줄 수 있는 방어적인 효력으로 여겨져야 합니다. 자기만의 강점, 그리고 그 강점이 당신을 보호하는 데 어떻게 사용되는지 생각해 보세요. 창의적인 당신은 아마도 그 창의성을 극복을 위한 판로로 활용할 수도 있겠지요?

**방법:**

1. 종이에 방패를 그립니다. 만약 그리는 것이 어렵다면, 인터넷에서 방패 모양을 검색한 후 종이에 따라 그리면 됩니다.

2. 그린 방패를 오려 주세요.

3. 연필을 사용하여 방패를 똑같이 사 등분 합니다.

4. 당신의 강점 네 가지를 파악한 후 각각의 강점을 방패의 각 네 부분에 써 줍니다.

5. 색연필과 오일 파스텔을 사용하여 방패에 색을 입혀 보세요. 당신의 강점을 보여주는 색깔만 사용하도록 합니다.

**대화를 위한 질문들**

- 당신은 다른 이들로부터 당신 자신을 보호하나요? 어떤 식으로 보호하나요?

- 주변 사람들과 더 많은 관계를 맺기 위해 당신의 강점을 어떻게 활용할 수 있을까요?

# 감정 차트

**효과:**

개인의 감정 인지와
정서 통제 및 조절을 도움


**실습 시간:**
50분


**재료:**

중량감이 있는 2절 도화지 한 장
가위
펜
색연필
오일 파스텔

각각의 감정은 특정 경험과 관련이 있습니다. 이 실습에서 당신은 다양한 감정과 관련된 경험을 그리게 될 것입니다. 이는 제각각의 감정을 마지막으로 경험한 때가 언제인지를 반추하는 기회이기도 합니다. 마지막으로 진정한 행복을 느낀 것이 언제인지 기억하기 힘들어한 내담자도 있습니다. 당신의 내면세계를 키우고 자신의 삶을 인정하고 즐기는 것이 중요합니다.

**방법:**

1. 종이를 여덟 등분으로 나눈 후 오려 주세요.

2. 펜을 사용하여 각각의 사각형마다 감정을 적어 보세요. 예를 들어, 기쁨, 좌절, 미움, 사랑, 불안, 슬픔, 지루함, 그리고 흥분 중 하나를 골라 각 사각형에 적습니다.

3. 색연필이나 오일 파스텔을 사용하여, 당신이 적은 감정을 마지막으로 경험한 그 당시의 이미지나 장면을 보여주는 그림을 각 사각형에 그려 넣습니다.

**대화를 위한 질문들**

- 각각의 감정을 바라봅시다. 당신은 어떤 사각형에 가장 많은 묘사를 하고 가장 많은 관심을 기울였나요?

- 어떤 감정을 더 경험하길 원하나요?

- 그 경험을 살리기 위해 지금 당신이 할 수 있는 것은 무엇일까요?

# 정원 심상화하기

**효과 :**
문제해결과 대처 능력 향상

**실습 시간 :**
55분

**재료 :**
중량감이 있는 2절 도화지 한 장
그림용 연필
오일 파스텔

심상화하기는 당신이 상상한 장면을 그림으로 그려내는 기법입니다. 마음이 편안한 상태라면, 눈을 감고 그 장면을 상상해 봅니다. 이 실습에서 당신은 네 개의 다른 장면들이 있는 인생의 여정을 떠올리고 그것을 그림으로 나타낼 것입니다. 이 기법은 현재의 대처 기술과 욕구를 알아내는 데 사용됩니다. 각 그림 작업은 당신이 어떻게 반응하고 문제를 해결할지에 따라 결정됩니다.

**방법 :**

1. 각각의 종이를 반으로 접은 후, 접은 부분에 1부터 4까지의 번호를 매깁니다.

2. 편안하게 앉은 후 재료들을 앞에 둡니다.

3. 혼자서 여행을 떠날 준비를 했다고 상상해 보세요, 당신은 그 모험으로 들떠 있습니다. 가방을 싸서 드넓은 정원으로 향합니다. 들판을 걷다 보니 "환영합니다."라고 적힌 문이 있는 아름다운 울타리가 나옵니다. 그런데 문을 열려고 해도 열리지 않는군요.

4. 어떻게 그 문을 통과할 건가요? 당신의 대답을 1페이지에 그려 봅시다.

5. 축하합니다! 당신은 그 문을 통과했습니다. 문의 반대편에는 감미로운 꽃과 채소밭이 눈앞에 펼쳐져 있습니다. 여유롭게 꽃향기를 맡고 과일을 맛보세요. 달콤한 보상이네요. 길을 걷다 보니 커다란 생명체가 당신의 발 앞에 나타납니다. 어떻게 하죠? 당신의 대답을 2페이지에 그려 봅시다.

6. 축하합니다! 당신은 이 문제를 통과했습니다. 계속 가다 보니 길은 더 울창한 숲으로 변합니다. 해가 지기 시작하고 하늘이 어두워지자 당신은 갑자기 이 여정을 떠난 지 오래되었다는 것을 깨닫게 됩니다. 돌아가기엔 너무 늦었으니 저녁 동안 숲에 머물기로 합니다. 당신 앞에 작고 귀여운 나무 오두막이 보입니다. 오두막에 다가가

자 하나의 존재가 나타납니다. 어떻게 하죠? 당신의 대답을 3페이지에 그려 봅시다.

7. 축하합니다! 이 존재는 당신이 그들의 오두막을 사용할 수 있도록 허락한 후 사라집니다. 그 오두막에는 별난 공간에 필요한 모든 것이 있습니다. 밤을 보내기 위해 자리를 잡고 눈을 감자, 오두막 안에서 어떤 소리가 들립니다. 당신은 혼자가 아닙니다. 오두막에 또 무엇이 있는 걸까요? 당신의 대답을 4페이지에 그려 봅시다.

8. 당신 자신이나 당신의 파트너 또는 치료사에게 모든 여정을 마치 이야기하듯이 큰 소리로 읽어 보세요.

## 대화를 위한 질문들

- 첫 번째 그림에서 당신은 문을 열어 달라는 요청을 받았습니다. 당신은 그 문을 어떻게 통과했나요?

- 두 번째 그림에서는 당신 앞에 한 생명체가 나타났습니다. 당신은 어떻게 반응했나요? 무력을 사용했나요, 타협했나요, 아니면 도망쳤나요?

- 세 번째와 네 번째 그림에서 본 사람 또는 대상을 확인해 봅시다. 당신은 그들에게 어떻게 반응했나요? 당신이 본 사람이나 무언가는 당신의 무의식적인 마음을 상징합니다.

- 아래 도표를 사용하여 당신의 행동이 수동적이었는지, 능동적이었는지, 아니면 공격적이었는지 결정할 수 있습니다. 당신의 대응 방식이 마음에 드나요? 만약 그렇지 않더라도, 당신에게는 그것을 변화시킬 힘이 있습니다.

| 수동적 | 능동적 | 공격적 |
|---|---|---|
| 회피하기 | 무언가를 주기 | 무력을 사용 |
| 굳어버림 | 상호작용(이야기하기) | 치기, 건들기, 겁주기, 죽이기 |

# 신체상의 스트레스

**효과 :**

감정 인지와 자기 인식 향상

**실습 시간 :**

45분

**재료 :**

중량감이 있는 2절 도화지 한 장

그림용 연필

붓

수채화 물감

물 한 컵

스트레스란, 힘든 상황에서 발생하는 정신적이거나 정서적인 긴장 상태를 말합니다. 많은 이들이 이런 불편한 상태로 하루하루를 살아갑니다. 몸에 스트레스가 쌓이면, 신체상의 고통으로 나타날 수 있습니다. 이 실습에서는 스트레스의 근원을 밝히기 위해 스트레스가 어떻게 보이는지 시각화할 것입니다. 스트레스는 신체의 특정 부분에 몰려 있거나 여러 부분에서 발견될 수 있습니다. 저는 제 내담자들이 어디에서 스트레스를 참는지, 스트레스를 일으킨 원인이 무엇인지를 파악하고, 그것을 완화하기 위해 작업하는 것을 봐 왔습니다.

**방법 :**

1. 머리, 몸통, 팔, 다리를 포함한 신체의 윤곽선을 종이에 그립니다.

2. 몸에 있는 스트레스를 그려 보세요. 모양과 크기와 관련하여 어떤 형태의 스트레스를 받는지, 그리고 그 스트레스가 어디에 있는지 잘 생각해 봅시다.

3. 신체상의 스트레스에 시선이 가게끔 더 과감한 색의 물감을 골라 작품에 칠합니다.

**대화를 위한 질문들**

- 신체의 어느 부분에 당신의 스트레스가 있나요?

- 신체의 특정 부분에 스트레스를 받은 지 얼마나 되었나요?

- 예전에 이 스트레스를 다루기 위해 노력한 적이 있나요?

- 스트레스를 없앨 방법은 무엇인가요? 예를 들어, 등에 있는 압박감이 마사지로 완화될 수 있을까요?

# 벽이 아닌 경계 세우기

**효과:**

대처 기술과 감정 조절 발달

**준비 시간:**
30분

**실습 시간:**
30분

**재료:**

여러 가지 색의 마커

중량감이 있는 2절 도화지 한 장

다양한 인쇄지(신문지,
포장지, 도안지)

가위

풀

간혹 당신의 감정을 다른 사람에게 언제 표현할지 아는 것은 어렵지만, 가족, 직장 동료, 또는 친구에게 강압적이지 않으면서도 당신의 욕구를 충족시키는 방법을 배울 수 있습니다. 건강한 경계를 갖는다는 것은 당신의 한계가 어디에 있는지 안다는 것입니다. 예를 들어, 당신은 동료나 새로 사귄 친구에게 당신의 사생활을 알리고 싶지 않을 수도 있습니다. 모든 관계에서 한발 물러나 당신의 욕구를 살펴보는 것은 중요합니다. 당신의 경계벽은 어떻게 보이나요?

**방법:**

1. 30분간 시간을 내어, 당신이 살면서 만나는 사람들에게 느끼는 신체적, 감정적, 그리고 영적인 차원의 한계가 어디인지 알아봅니다.

2. 당신 스스로 노(No)라고 말하게끔 하세요.

3. 마커를 사용하여 도화지 가운데에 당신을 그려 봅시다.

4. 건강한 경계벽을 만들기 위해 당신의 초상화 주위에 다양한 종이를 붙여 줍니다.

5. 당신과 경계가 필요한 한 사람을 생각한 후, 건강한 경계벽 밖에 그 사람을 그립니다.

### 대화를 위한 질문들

- 당신과 당신의 친구, 동료, 연인, 또는 자녀 사이에 어떤 벽이 있나요? 당신의 성장을 방해하는 어떤 벽이 존재하나요?

- 당신의 벽은 얼마나 큰가요? 그 벽이 너무 높아서 아무도 못 들어가나요?

- 당신의 감정을 표현하기 위해 어떻게 건강한 경계를 만들 수 있을까요? 당신의 인생에서 "아니요(No)"라고 말하고 싶은 것이 있나요?

# Chapter Three

# 디지털과 사진

디지털 아트와 사진 이미지는 기억을 일깨우고, 삶에 관한 이야기를 들려주며, 심리적인 치유의 과정에 참여하게끔 동기를 부여할 수 있습니다. 이미지를 관찰하고 선택하는 과정을 통해 당신은 자신의 심리 상태에 대한 주인이 될 것입니다. 사랑하는 사람과의 갑작스러운 사별, 학대, 가정폭력, 전쟁, 테러, 자연재해 또는 만성질환과 같은 트라우마의 경험으로 인해 그 주인의식은 손상됐을지도 모릅니다. 디지털 스토리텔링, 사진 치료와 스크랩북은 이 장에서 논의된 치유의 형태 중 하나입니다.

# 사진을 자화상으로 변환하기

**효과 :**

개인의 반영과 자기 인식 향상

**실습 시간:**

1시간

**재료:**

나의 사진

중량감이 있는 2절 도화지 한 장

모드포지(Mod Podge®,
역자: 직물용 접착제나
바니쉬로 대체 가능함)

아크릴 물감

붓

물 한 컵

자화상 작업을 하다 보면 "나는 누구인가?"라는 해묵은 질문이 떠오르기도 합니다. 자신의 이미지는 의외의 사실과 통찰력을 가져올 수 있습니다. 자화상을 그리면서 당신의 진정한 자아와 연결될 것입니다. 당신이 세부적으로 묘사하는 것들과 당신이 선택하는 색상은 당신의 연장선이기도 합니다. 작업을 시작하기 전에, 자신이 어떻게 기억되고 싶은지 그리고 다른 사람들이 당신을 어떻게 본다고 생각하는지 자문해 보세요. 또한 당신의 매력도 찬찬히 생각해 보세요.

**방법:**

1. 과거나 현재의 사진 중에서 자신의 이미지를 하나 고르세요. 고른 이미지를 흑백이나 컬러로 복사합니다.

2. 도화지에 모드포지(Mod Podge®, 역자: 직물용 접착제나 바니쉬로 대체 가능함)를 한 겹 바릅니다.

3. 모드포지에 당신의 이미지를 올린 다음, 그 위에 모드포지를 한 겹 더 바릅니다. 이를 20분 동안 건조합니다.

4. 물감을 사용하여 작품에 색채와 정서적인 표현을 입힙니다.

**대화를 위한 질문들**

- 정서적인 표현을 위해 당신은 어떤 방식으로 물감을 사용했나요?

- 당신의 작품이 현재의 당신 모습이나 이상적인 자아를 보여준다고 느껴지나요?

# 보이는 나

**효과:**

문제해결 능력, 자아 존중감과
자기 성찰 향상

**준비 시간:**
10분
**실습 시간:**
50분

**재료:**

종이
펜
디지털카메라

이 활동은 남들에게 보이고 싶은 당신의 모습을 만드는 것입니다. 즉, 당신의 이상적인 자아상을 분명하게 보여줍니다. 어떤 느낌이 드나요? 이것은 그 느낌을 만들고 시각화하는 실습입니다. 느낌을 이미지로 만드는 과정을 경험함으로써 현실에서 당신의 자아상을 분명하게 보여주게 될 것입니다. 괴짜가 되세요. 만약 인생에서 자유를 원한다면, 어떤 것이 당신에게 그런 느낌을 줄 수 있을까요? 아마도 멋진 자동차를 모는 게 아닐까요? 대리점에 가서 시승도 해보고 사진 촬영도 할 수 있답니다! 당신의 상상력에 한계란 없습니다. 꿈을 크게 가지세요!

**방법:**

1. 당신이 어떻게 보이고 싶은지를 10분간 생각하고 결정해 보세요.

2. 당신이 그렇게 보일 때 스스로 어떻게 느낄지 묘사하는 감정 단어들을 리스트로 만들어 봅시다.

3. 현실에서 그 감정을 느끼기 위해 할 수 있는 재미난 활동들에 관한 아이디어를 적어 보세요.

4. 이런 활동들을 하는 자신의 모습을 사진으로 찍습니다.

### 대화를 위한 질문들

- 사진에서 당신의 희망을 본 느낌이 어떤가요?
- 이상적인 자아를 현실화하기 위한 또 다른 방법에는 또 어떤 것들이 있을까요?

# 미니 마인드 무비

**효과 :**

강점 인지, 긍정적 경험 상상과
미래의 사건을 현재화하기


**준비 시간:**
10분
**실습 시간:**
50분


**재료 :**

컴퓨터
파워포인트 소프트웨어

마인드 무비(mind movie)는 당신이 원하는 삶을 스냅사진으로 표현한 것입니다. 이는 당신이 상상했던 것이 이미 손안에 있는 것처럼 현재의 삶을 바라보게끔 합니다. 현재 삶에 기쁨을 가져다준 긍정적인 사건들을 떠올려보세요. 만약 그런 비슷한 경험을 할 수 있다면 어떨까요? 좋은 감정을 느끼고 삶에서 원하는 것을 명료하게 하려면 자신이 만든 마인드 무비를 매일 보는 것이 중요합니다.

**방법:**

1. 인생에서 원하는 것이 무엇인지를 10분간 떠올려봅니다.

2. 당신이 원하는 것 중 하나를 파워포인트 프레젠테이션 슬라이드에 입력합니다.

3. 당신이 원하는 것과 어울리는 이미지를 찾아 다음 슬라이드에 넣습니다.

4. 당신이 원하는 것과 이미지를 활용하여 여러 슬라이드를 만드는 과정을 반복하세요. 그 이미지는 당신의 인생에서뿐만 아니라 인터넷을 통해서도 사용할 수 있습니다.

5. 당신이 가장 좋아하는 노래를 프레젠테이션에 추가해도 됩니다.

6. 슬라이드쇼 모드로 설정된 프레젠테이션을 하루에 한 번 감상합니다.

## 대화를 위한 질문들

- 꿈을 크게 가진 기분이 어떤가요?

- 욕구 표현의 첫 번째 단계는 비전을 갖는 것입니다. 당신의 삶에서 긍정적인 사건들과 다짐들을 마주했을 때 어떤 기분이 들었나요?

# 핀터레스트 무드보드

**효과 :**

현재의 정서 인지

**실습 시간:**

50분

**재 료:**

컴퓨터

핀터레스트 웹사이트:
www.pinterest.co.kr

핀터레스트(Pinterest) 플랫폼은 다양한 분위기의 보드를 한꺼번에 만들고 볼 수 있게 합니다. 핀터레스트에서 당신의 모든 기분을 가득 보여주는 이미지를 검색할 수 있습니다. 저는 내담자에게 여러 개의 보드를 매주 만들어 보도록 권했습니다. 그녀는 자신에게 영감을 주는 것들을 기록하기를 좋아했으며, 완성된 보드는 저에게 보여주기 위해 보내곤 했지요. 그 보드를 통해 우리는 그녀의 인생에 일어나고 있는 일들을 알 수 있었고, 가장 좋았던 점은 청소할 필요가 없었다는 것입니다.

**방법:**

1. 브라우저에서 Pinterest.com으로 이동합니다. 스마트폰에서 핀터레스트 애플리케이션(Pinterest application)을 사용해도 좋습니다.

2. 회원가입 또는 로그인을 합니다.

3. 보드를 하나 생성한 후, '무드보드(Mood Board)'라는 제목을 붙여 봅시다.

4. 검색창에서 현재 당신의 마음에 와닿는 오브제, 장소, 색상 및 이미지를 검색한 후 무드보드에 올려놓습니다.

**대화를 위한 질문들**

- 보드를 만들면서 주제가 떠올랐나요? 어떤 주제가 떠올랐나요?

- 주제에서 벗어나 다른 웹사이트나 블로그를 보기 시작했나요?

- 저장하고 싶은 다른 이미지들을 검색했나요? 그림 그리고 싶을 때를 대비해 그 이미지들을 저장해도 좋습니다.

# 긍정적인 다짐

**효과:**

자아 존중감 형성, 마음가짐의
전환과 제한적 신념을 다룸

**실습 시간:**

1시간

**재료:**

종이
그림용 연필
스마트폰

긍정적인 다짐은 동기를 부여합니다! 다짐은 당신이 필요로 할 때 정서적인 지지나 용기를 줄 수 있습니다. 저는 긍정적인 다짐을 핸드폰에 간직하는 것을 좋아하는데, 이것은 제가 변화해야 하는 힘을 매일 상기시켜줍니다. 당신의 다짐과 어울리는 디지털 이미지를 만드는 것은 더 큰 영향력을 미칩니다. 어떤 상황에서는 외현화된 문제를 바꿀 수 있으며, 또 다른 경우에는 당신의 사고방식을 정신적으로 바꿔야 할 수도 있습니다. 주어진 상황에서 어느 것이 더 잘 맞는지 보기 위해 두 가지 해결책을 모두 시도해야 할 수도 있습니다.

## 방법:

1. 현재 당신이 직면한 문제를 종이에 적어 보세요.

2. 당신이 적은 문제 옆에다가 3개에서 5개의 긍정적인 해결책을 적습니다.

3. 긍정적인 해결책과 어울리는 다짐을 만들어 보세요.

4. 당신의 긍정적인 해결책에서 영감을 받은 사진을 핸드폰으로 찍습니다.

5. 핸드폰 편집기를 사용하여 사진에 다짐을 추가합니다(글자를 추가하거나 조명 효과를 줌).

6. 완성된 작품을 핸드폰이나 컴퓨터 바탕화면에 저장합니다.

## 대화를 위한 질문들

- 이 다짐을 온종일 어떻게 사용할 수 있을까요?

- 당신의 문제를 위한 긍정적이고 적극적인 해결방안이 나왔을 때 어떤 기분이 들었나요?

# 세 개의 인물사진

**효과 :**

자기 성찰과 창의적 표현 촉진


**실습 시간 :**
1시간


**재료 :**

카메라

자화상은 당신이 자신을 어떻게 보는지를 반영하고, 당신이 어떤 인상을 주는지에 관한 통찰력을 줄 수 있습니다. 세 개의 인물 사진을 동시에 제작하는 것은 자신의 다른 측면들을 동시적으로 볼 수 있게 하므로 가변적일 수 있습니다. 이 실습에서 당신은 신체의 일부 또는 모든 부분을 활용해도 좋습니다. 당신의 신체적인 특성들을 고려하여 신체언어를 통한 정서적인 이미지를 만들 수 있습니다.

## 방법:

1. 당신이 자신을 어떻게 보는지를 사진으로 찍으세요.

2. 다른 사람들이 당신을 어떻게 생각하는지를 사진으로 찍으세요.

3. 당신이 어떻게 보이고 싶은지를 사진으로 찍으세요.

## 대화를 위한 질문들

- 어떤 인물 사진을 만드는 것이 가장 쉬웠나요? 어떤 인물 사진이 가장 어려웠나요?

- 세 인물 사진 간에 어떤 유사점이 보이나요?

- 세 인물 사진 간의 차이점은 무엇인가요?

# 과거를 담은 메모리 북(스크랩북)

**효과 :**

가족 역학의 더 나은 이해를
돕는 추억과 관계 돌아보기

**준비 시간:**
10분
**실습 시간:**
50분

**재료 :**

메모리 북(스크랩북)/
과거의 사진첩

인쇄된 최근 이미지

사용하지 않은 메모리 북

추억할만한 것들
(뜯고 남은 티켓, 영수증, 일기,
연애편지, 사진, 압화 등)

메모리 북은 장기간에 걸친 가족 역학을 탐색할 기회를 제공합니다. 메모리 북의 이미지에서 신체언어를 다시 살펴보면, 당신의 인생에서 특정인들이 지녔던 역할을 더 깊이 이해할 수 있습니다. 메모리 북은 중요했던 관계를 돌아보고, 당신의 삶에 이야기를 제공하고, 기억에 없던 새로운 추억을 남깁니다.

**방법:**

1. 메모리 북과 사진첩을 모아 주세요. 사진이 디지털 이미지인 경우는 종이에 인쇄합니다.

2. 각각의 사진을 살펴본 후 당신과 사진 속 사람들의 관계를 생각해 보세요.

3. 더 최근의 이미지들을 살펴봅시다. 당신의 인생에서 중요한 시기나 중요한 사람들을 의미하는 어떤 이미지든 인쇄합니다.

4. 인쇄된 현재의 이미지들을 새로운 메모리 북에 넣습니다.

5. 메모리 북을 개인용으로 소장하려면, 당신에게 중요한 기억을 더 추가해도 좋습니다.

## 대화를 위한 질문들

- 당신의 가족과 유산은 지금의 당신에게 어떤 영향을 미쳤나요?

- 당신은 어딜 향하고 있나요?

**집단 치료에서는** 위의 단계를 완료한 후 가족이 지닌 유산과 전통에 대해 서로 이야기를 나눕니다.

# 디지털 메모리 북(스크랩북)

**효과:**

추억 되새김, 대처 기술 발달과
지지체계 인지

**준비 시간:**
10분

**실습 시간:**
50분

**재료:**

컴퓨터

디지털 메모리 북(스크랩북)을 사용하면 사진을 한 곳에 전자식으로 정리할 수 있습니다. 이는 인생의 사건들을 설명해 주고 당신의 지지체계를 알게 합니다. 가장 좋아하는 노래, 메시지, 전통, 심지어는 가족에게 중요한 요리법을 추가할 수도 있습니다. 함께 공유하고 싶은 사람에게 보내는 비디오 메시지도 포함될 수 있습니다. 디지털 메모리 북은 당신에게 중요한 사람들과 공유할 수 있는 대표 공간에 저장할 수 있습니다. 디지털 메모리 북의 가장 좋은 점은 플래시 드라이브나 하드디스크 드라이브에 저장하는 것 이상의 많은 공간을 차지하지 않는다는 것입니다.

**방법:**

1. 과거와 현재의 사진 중 개인적인 이미지를 5개에서 10개 정도 찾아봅시다. 그 이미지에는 다수의 인물들이 포함되어야 합니다.

2. 디지털 포토앨범을 제작할 수 있는 디지털 웹사이트를 방문하세요. 제가 추천하는 두 개의 사이트는 FamilyTreeGuide.com과 Ancestry.com입니다(역자: 국내의 경우, 주요 포털사이트에서 '디지털 포토앨범'을 검색하면 여러 사이트가 있음).

3. 선택한 웹사이트에서 프로필을 만든 후, 당신이 고른 이미지들을 올립니다.

4. 올린 이미지들을 시간순으로 정리합니다.

5. 이 실습은 단번에 또는 당신이 원하는 때에 언제든지 완성할 수 있습니다.

## 대화를 위한 질문들

● 사진 속에서 어떤 관계들이 보이나요?

● 사진첩에서 그런 관계들을 고른 이유는 무엇인가요?

● 그 관계들이 당신에게 의미하는 것은 무엇인가요?

● 당신에게 특별히 중요했던 시기가 있나요?

# 이미지 변경하기

**효과:**

스트레스 완화와
의사결정능력 향상

**준비 시간:**
10분
**실습 시간:**
50분

**재료:**

이미지 변환 소프트웨어 또는
응용 프로그램
컴퓨터
프린터(선택 사항)

이미지 변경하기를 통해 기존의 이미지를 바꾸고 의사 결정 기술을 활용할 수 있습니다. 이미지를 변경하는 방법에는 수백만 가지가 있으며 당신이 좋아하는 것을 선택할 권한은 당신에게 있습니다. 이 과정에서 옳고 그른 결정이란 없으니 당신이 좋은 대로 하면 됩니다.

**방법:**

1. 10분 동안 당신이 가장 좋아하는 사진을 골라 봅시다.

2. 이미지 변경 애플리케이션을 열거나 내려받습니다(무료 소프트웨어는 온라인에서 다운로드가 가능합니다).

3. 예술, 문자, 질감 및 필터를 추가하여 사진을 변경합니다. 혹시 이미지를 변경하면서 결과물이 마음에 들지 않으면 언제든지 원래의 이미지로 되돌릴 수 있습니다.

4. 작업한 것을 저장합니다.

5. 이미지가 마음에 들면 인쇄합니다.

### 대화를 위한 질문들

- 이 이미지가 당신에게 중요한 이유는 무엇인가요?
- 이미지를 어떻게 변경하는 것이 더 나을까요?

# 슬픔을 형상화하기

**효과:**

문제해결 능력, 의사결정능력과
자기 인식 향상

**준비 시간:**
10분

**실습 시간:**
50분

**재료:**

펜

종이

카메라

슬픔에는 다양한 정도가 있습니다. 의기소침한 슬픔, 정말 불행한 슬픔, 그리고 낙담한 느낌의 슬픔이 있습니다. 정신을 고양하는 하나의 방법으로는 사진 찍기가 있습니다. 이것은 당신이 천천히 살아가게 합니다. 또한 자신만의 시간을 갖게 하고 당신만의 세계를 발견하게끔 합니다. 우울감의 다양한 정도를 기록하기 위해 사진을 사용할 수도 있습니다.

**방법:**

1. 슬픔의 감정에 대한 다양한 변화를 최소 10분은 생각해 봅시다.

2. 당신이 생각한 모든 변화를 종이에 적습니다.

3. 밖으로 나가서 우울의 다양한 모습들을 사진으로 찍어 보세요.

**대화를 위한 질문들**

● 당신과 함께 밖으로 나가 사진을 찍을 누군가가 있나요?

● 사진에서 우울의 다양한 정도는 무엇이었나요?

● 지금 당신의 심금을 울리는 어떤 이미지가 있나요?

# 자연 산책을 통한 사진 치료

**효과 :**
정서 인식과 스트레스 완화

**실습 시간 :**
1시간

**재료 :**
카메라
프린터(선택 사항)

자연을 산책하는 시간은, 긴장을 풀게 하고 현재를 더 잘 인식하고 현재에 머무르게 합니다. 이 실습에서는, 당신의 호흡과 당신이 취하는 행동을 알아차리면서 마음 챙김을 수행하게 될 것입니다. 여유를 갖고 속도를 늦추어 의식적으로 당신 주위를 둘러싼 것들을 인식하는 것은 스트레스 완화와 정서의 인식에 도움이 됩니다.

**방법 :**

1. 30분 정도 자연에서 산책해 봅시다. 천천히 걸으면서 주위를 둘러싼 작은 것들에 주의를 기울여 보세요. 당신이 이전에 봤던 것보다 더 꼼꼼하게 모든 것들을 바라봅니다.

2. 걷는 동안 호흡에 주의를 기울입니다. 깊고 느리게 호흡하면서 공기가 당신의 폐를 채우는 것을 느껴보세요.

3. 계속 걸으면서 당신을 둘러싼 것들에 집중하고, 마음을 차분하게 합니다. 내일 해야 할 일처럼 일시적인 생각이 마음에 떠오르면, 그 생각들을 마음 안에 들여보낸 뒤 밖으로 흘러가게 두세요.

4. 주변에서 시각적으로 흥미를 끄는 것들을 찾아보세요.

5. 아름답거나 정서를 자극하는 무언가를 보게 된다면, 사진을 찍어 봅시다.

6. 걷는 동안, 정서를 환기하는 무언가가 있으면 사진을 찍으세요.

7. 각각의 사진에 제목을 붙여 줍니다.

8. 프린터 사용이 가능하다면, 사진을 찍던 순간에 느꼈던 감정을 잊지 않기 위해 사진 몇 장을 인쇄해도 좋습니다. 예를 들어, 호수가 잔잔해서 사진을 찍었다면, 책상 서랍에 복사본을 남겨놓고 스트레스를 받을 때마다 그 사진을 보아도 좋습니다.

## 대화를 위한 질문들

- 집에 도착하면, 당신이 찍은 이미지들을 다시 보세요. 사진을 찍었을 때 느꼈던 감정이 떠오르나요?

- 사진을 처음 찍었을 때와 느낌이 달라졌나요?

# 이야기가 있는 예술적 사진

**효과 :**

정서 인지와 정서적 표현 향상

**실습 시간 :**

1시간

**재료 :**

카메라
프린터(선택 사항)
그림용 연필
종이

우울과 불안에 관해 이야기하는 것은 매우 개인적인 경험이자 상당히 어려운 일일 수 있습니다. 치유를 위해서는 당신의 생각과 감정을 헤쳐 나가는 것이 중요하며, 그렇게 함으로써 당신을 고통스럽게 하는 요인들을 당신과 분리하게 될 것입니다. 불안이나 우울을 나타내는 이미지를 찾는 것은 당신의 진정한 자아를 표현하는 하나의 관문이 될 수 있습니다.

**방법 :**

1. 밖으로 나가서 당신의 현재 느낌을 사로잡는 사물이나 장면을 하나 찾아보세요.

2. 그 이미지를 사진으로 몇 장 찍습니다.

3. 각각의 사진에 이름을 붙입니다.

4. 그 이미지들을 인쇄합니다(선택 사항).

5. 자리에 앉아, 당신의 사진과 이미지가 불러일으킨 감정에 대해 종이에 글로 써 봅시다.

## 대화를 위한 질문들

- 당신의 이미지를 처음 보는 다른 사람의 시선으로 이미지를 바라봅니다. 전에는 보지 못했던 새로운 것이 보이나요?

- 당신의 사진을 공유하고 싶은 사람은 누구인가요? 왜 그 사람을 선택했나요?

- 당신이 붙인 제목은 그 이미지를 사진으로 찍었을 때 느꼈던 감정에 대해 무엇을 말해주고 있나요?

- 사진에서 주제와 배경 사이의 공간은 얼마나 먼가요? 주제는 한 개 이상인가요?

# 과거, 현재와 미래의 이미지

**효과:**

감정 인식, 자기 인식 향상,
의사 결정력과 자기 성찰 기술
발달

**실습 시간:**
1시간

**재료:**

중량감이 있는 2절 도화지 한 장
그림용 연필
사진
풀
잡지
가위

이 실습은 개인적인 이미지를 몇 개 작업하여, 자신만의 역사를 탐색하는 과정으로 안내합니다. 거기에는 유년기, 가족, 관계, 일, 여가 활동 또는 당신이 관심 있어 하는 다른 모든 이미지가 포함될 수 있습니다. 종이에서 과거라는 윤곽을 잡아가다 보면, 과거에 대한 당신의 관점이 바뀌고 의외의 감정이 생겨날 수 있습니다. 이러한 것들을 헤쳐 나가는 것은, 더 자각하게 하고 앞으로의 결심에 도움을 줍니다.

**방법:**

1. 종이에다가 원 두 개를 겹치게 그려서 세 개의 영역을 만듭니다.

2. 이 세 개의 영역에 왼쪽부터 각각 과거, 현재, 미래라는 명칭을 붙입니다.

3. 과거의 영역에는 당신의 과거 사진을 풀로 붙입니다(만약 원본 이미지를 사용하지 않을 거라면, 복사한 이미지로 대체 가능합니다).

4. 현재의 영역에는 최근의 사진을 붙입니다.

5. 당신이 보여주고 싶은 미래를 나타내는 이미지를 잡지에서 오립니다.

6. 미래의 영역에는 당신의 미래 이미지를 붙입니다.

**대화를 위한 질문들**

- 인생의 다양한 시기 사이에서 의미 있는 연관성을 찾을 수 있었나요?

- 이 작업을 하면서 강력한 감정이 몰려왔나요? 그 감정들은 무엇이었을까요?

**집단 치료에서는** 집단 내 모든 참여자는 그들의 작품을 공유하고 그들이 어디에서 왔는지, 그들의 현재 경험, 그리고 그들의 표현방식에 관해 이야기합니다.

# 불안의 단계

**효과 :**

스트레스 완화, 감정 조절과
대처 기술 향상


**실습 시간:**

1시간


**재료 :**

카메라

불안은 스트레스에 대한 자연스러운 반응입니다. 가벼운 불안은 복부를 불편하게 하고 맥박수를 약간 늘립니다. 중간 정도의 불안은 당신을 둘러싼 다른 모든 것은 보지 않은 채 당신이 불안감을 느끼는 것이나 상황에만 온전히 신경을 쓰게 합니다. 심각한 불안은 갑자기 심한 스트레스와 공포감이 수 분 내로 최고조에 달하는 것이 반복됩니다(공황발작). 숨이 멎을 것 같은 느낌, 호흡 곤란, 흉통, 또는 심장 두근거림도 느껴질 것입니다. 이러한 다양한 정도의 불안감을 다시 살펴보고 탐색함으로써 당신은 감정을 이해하고 어떻게 하면 감정을 건설적으로 다룰 수 있는지를 배울 수 있습니다. 당신과 당신의 불안 수준에 맞는 이미지를 사용하세요.

## 방법:

1. 가벼운 불안을 보여주는 이미지(예: 커피를 너무 많이 마시는 것)를 사진으로 찍습니다.

2. 중간 정도의 불안감을 나타내는 이미지(예: 약속 시간에 늦는 것)를 사진으로 찍습니다.

3. 심각한 불안감을 나타내는 것(예: 엘리베이터에 갇히는 것)을 사진으로 찍습니다.

## 대화를 위한 질문들

- 당신이 찍은 사진들의 차이점은 무엇인가요?

- 그 사진들의 유사점은 무엇인가요?

- 향후 불안감이 생기지 않게 하려면 어떻게 하면 될까요?

# 사진 콜라주

**효과 :**

스트레스 완화, 자아 존중감과
자기 인식 증진


**준비 시간:**
10분
**실습 시간:**
50분


**재료 :**

핸드폰이나 컴퓨터에 저장된
디지털 사진
프린터
우드록
풀

사진 콜라주 만들기는 긍정적이고 강력한 여러 경험을 하나의 이미지로 결합하는 방법입니다. 자신에게 중요한 이미지를 고른 후 미적인 만족감을 주는 방식으로 그 이미지들을 배열하면 됩니다. 자연을 산책하는 이미지, 친구나 관심사를 찍은 사진 또는 온라인 이미지도 포함될 수 있습니다. 사진 콜라주 만들기는 자아 존중감과 자기 인식을 높입니다. 제가 만난 많은 내담자 분들은 추억을 기념하기 위해 긍정적인 경험이 담긴 이미지들로 콜라주 작업하는 것을 좋아합니다.

**방법:**

1. 당신의 사진을 모아 주세요. 모은 사진들을 다시 살펴본 후 당신의 관심사, 가장 좋아하는 예술, 긍정적인 기억들, 그리고 중요한 장소와 사람들을 보여주는 사진들을 한 줌 고릅니다. 그 사진들을 인쇄하세요.

2. 가장 마음에 드는 방식으로 사진을 배열하세요. 배열한 사진들을 우드록에 붙입니다.

3. 콜라주가 다 완성되고 나면, 그것을 하나의 완전한 예술작품으로 바라봅니다. 예술작품을 창작한 후에 당신이 느끼는 긍정적인 감정을 되새겨 보세요.

### 대화를 위한 질문들

- 이 작품을 공유하고 싶은 한 사람은 누구인가요?
- 당신은 왜 그 사람을 떠올렸나요?

# 사진 조작하기

**효과 :**

문제해결 능력 향상,
정서 인지와 자기 인식 상승

**준비 시간:**
10분

**실습 시간:**
50분

**재료 :**

핸드폰이나 컴퓨터에 저장된
디지털 사진

프린터

가위

중량감이 있는 2절 도화지 한 장

풀

수성펜

이 실습에서는 두 개의 이미지를 합성할 것입니다. 이미지를 합성하는 과정을 통해 감정을 일으키는 결정 내리기를 연습할 수 있습니다. 조작된 사진 이미지 중에서 제가 본 가장 흥미로운 이미지는 내담자가 자기 얼굴을 사진으로 찍은 후 형상을 오려내고 사진의 여백을 풍경화로 채운 작업입니다. 그 여백이 강력하면서도 예상치 못한 이미지로 채워진 것은 정말 놀라웠습니다.

**방법:**

1. 합성을 위해 두 개의 이미지를 찾습니다. 예를 들어, 하나는 초상 사진, 다른 하나는 풍경화가 될 것입니다.

2. 그 두 개의 이미지를 인쇄합니다.

3. 인쇄된 이미지를 오린 후 도화지에 붙여 하나의 새로운 이미지를 만듭니다. 수성펜을 사용하여 지금 당신의 기분을 표현하는 효과를 이미지에 더해 주세요.

### 대화를 위한 질문들

● 당신과 합성된 이미지는 어떤 연관성이 있나요?

● 합성되기 전 각각의 이미지들은 어떤 감정을 불러일으켰나요? 합성된 이미지는 이제 어떤 감정을 불러일으키나요?

# 당신의 이야기를 들려주세요

**효과 :**

트라우마적인 경험의 되새김을
도움, 감정 조절, 자기 성찰과
자기 관찰 기술 향상

**실습 시간:**

1시간

**재료 :**

컴퓨터
파워포인트 소프트웨어
(PowerPoint software)
인터넷에서 찾은 이미지

당신의 이야기를 들려주는 것은, 당신이 겪은 충격적인 사건을 되새기고 그 사건에 관련된 감정들을 처리할 수 있게 합니다. 작품을 다시 살펴보는 과정은 당신의 트라우마를 기억 속에 반영하고 통합할 수 있게 합니다. 이 자기성찰의 작업을 통해 당신이 생존자임을 잊지 마세요. 당신의 이야기가 만들어지고 펼쳐지는 것을 볼 수 있다는 것은 당신이 생존자라는 것을 보여줍니다.

**방법:**

1. 파워포인트에서 새 슬라이드를 열어 주세요.

2. 슬라이드 1에는 당신의 이야기를 적습니다. 트라우마를 겪기 전의 이야기부터 시작해 보세요. 몇 단락이나 몇 개의 항목으로 자유롭게 작성합니다.

3. 개인적으로 갖고 있던 이미지와 인터넷 이미지를 살펴보면서 트라우마가 있기 전의 이야기와 어울리는 이미지를 찾아 슬라이드 1에 추가합니다. 슬라이드 1에 더 이상의 공간이 없으면 슬라이드 2에 이미지를 배치합니다.

4. 새로운 슬라이드를 열어 새로운 단락을 시작합니다. 이번에는, 당신의 트라우마에 대해 써 보세요.

5. 다시, 이미지를 살펴보고 그때 당신의 이야기와 어울리는 이미지를 찾은 후 프레젠테이션에 추가합니다.

6. 새로운 슬라이드를 열고 현재 당신의 이야기를 써 보세요. 이제 어떤 점이 과거의 당신과 구별되나요?

7. 현재 당신의 이야기와 어울리는 이미지를 찾아 프레젠테이션에 추가합니다.

8. 작업을 다 마쳤으면 슬라이드쇼 모드(slideshow mode)로 설정한 후 당신의 이야기를 감상합니다.

## 대화를 위한 질문들

- 슬라이드쇼에서 당신의 이야기를 보고 나서 처음으로 한 생각은 무엇인가요?

- 당신의 이야기를 보는 것이 삶의 경험에 대한 관점에 도움이 되었나요?

- 이 경험을 통해 배운 인생의 교훈은 무엇인가요?

# 치료적 영화제작

**효과:**

자기 성찰과 자기 인식 발달,
대처 기술과 감정 조절 기술
형성

**준비 시간:**
10분
**실습 시간:**
50분

**재료:**

스마트폰이나 태블릿 컴퓨터와
같은 오디오 및 영상기록 장치

치료적 영화제작은 전통적인 영화제작과 비슷하지만, 제작단계가 더 간결합니다. 이 실습의 목적은 과거의 경험을 반영하여 더 건강한 행복으로 이끌기 위한 감정을 다루는 것입니다. 이 과정은 여러 세션으로 진행이 가능합니다.

**방법:**

1. 10분 동안 영화의 주제를 생각해 봅시다. 당신은 누구인가요? 어디 출신인가요? 와 같은 질문은 작업을 신속하게 진행하도록 도와줍니다.

2. 영화에 넣고 싶은 아이디어 목록을 만듭니다. 주제를 표현하는 데 도움이 되는 이미지, 오디오 및 글을 생각해 보세요.

3. 녹화 장치를 사용하여 당신의 이야기를 기록합니다.

4. 영화를 저장하세요.

5. 완성된 영화를 관람하면 다른 관점에서 당신의 삶을 바라볼 수 있습니다.

## 대화를 위한 질문들

● 자기 이야기를 하는 당신 자신을 보면서 어떤 통찰력을 얻었나요?

● 만약 이야기의 결과를 어떤 식으로든 바꿀 수 있다면, 무엇을 다르게 하고 싶은가요?

# 안전한 장소 형상화하기

**효과 :**

불안 완화 및 대처 능력과
의사결정능력 향상

**실습 시간:**

1시간

**재료 :**

카메라

PTSD는 충격적인 사건에서 살아남았다는 결과입니다. 전쟁, 학대, 또는 방치와 같이 위협적인 경험들은 우리의 기억, 감정, 그리고 신체적인 경험들에 고착되어 흔적을 남깁니다. PTSD는 트라우마의 재경험, 공포감이나 불안감, 촉각이나 반응성, 기억의 착오, 무감각이나 해리와 같은 증세를 유발합니다. 안전한 장소를 형상화함으로써 PTSD와 연관된 불안 증세를 경감시킬 수 있습니다. 사진을 찍을 때 당신에게 안전하다고 느껴지는 공간과 장소를 찾아보세요. 필요하다면 당신만의 공간을 새롭게 만들어도 됩니다. 사진의 주제로는 친구, 요가 스튜디오 또는 방 안의 조용한 공간이 포함될 수도 있습니다.

**방법:**

1.  카메라를 사용하여 당신에게 안전하다고 느껴지는 장소를 사진으로 찍어 보세요.

2.  안전한 장소의 이미지를 여러 개 만들어 봅시다.

**대화를 위한 질문들**

- 선택한 이미지 간에 어떤 유사점들이 있었나요?

- 만약 당신이 찍은 이미지 중 한 곳에 머물 수 있다면, 가장 편한 곳은 어디인가요?

- 어떻게 하면 당신이 있는 곳에서 더 안전한 장소들을 만들 수 있을까요?

# 창의적인 영혼을 위한 온라인 쉼터

**효과:**

집단 커뮤니케이션,
공동체의 지지, 자기 성찰과
대처 능력 향상

**실습 시간:**
50분

**재료:**

컴퓨터
스케치북
그림용 연필

<창의적인 영혼을 위한 온라인 쉼터(The original Creative Soul Online Retreat)>는 자기 관리에 대해 배울 수 있는 안전하고 지지적인 온라인 페이스북 그룹입니다. 이 그룹의 참여자들은 서로의 작업에 영감을 주는 게시물과 의견을 나눕니다. 그룹에 참여하는 것은 굉장한 치유 효과를 주는 하나의 과정이 됩니다. 제가 만난 많은 내담자는 집단 안에서 긍정적인 경험을 갖고 좋은 결속력과 공동체 의식을 느낍니다.

**방법:**

1. Facebook.com/groups/1668160796774067/를 방문하여 <창의적인 영혼을 위한 온라인 쉼터(The original Creative Soul Online Retreat)>의 회원이 되세요. 제가 관리자로 운영하는 곳입니다.

2. '자기 관리(self-care)'와 관련된 영상을 시청합니다.

3. 매일 웹사이트를 방문하여 집단 미술의 도전과제를 따라 해보세요. 피드(feed)를 스크롤 하면 이전에 업로드된 영상과 과제를 볼 수 있습니다.

4. 이 그룹은 안전하고 지지적이므로, 마음의 준비가 되었을 때 자유롭게 당신의 작품을 올려 주세요.

5. 월례 회의는 온라인에서 열립니다. 우리는 회의도 하면서 작품도 같이 창작합니다. 이것은 그룹 활동에 쉽게 참여할 수 없는 상황에서 다른 이들과 함께 작업하는 효과적인 방법이기도 합니다.

## 대화를 위한 질문들

- 예전에 온라인 커뮤니티에 참여한 적이 있나요?

- 어떤 점이 보람 있거나 도전적으로 느껴졌나요?

- 어떻게 하면 이 새로운 그룹과 효과적인 공동체 관계로 발전할
  수 있을까요?

- 당신도 참여하고, 다른 사람들의 참여도 도우려면 이 그룹의 다른
  구성원들과 어떻게 상호작용하면 될까요?

- 이 그룹과의 작업을 통해 자기 성찰을 실천하고 향상시키려면
  구체적으로 무엇을 하면 좋을까요?

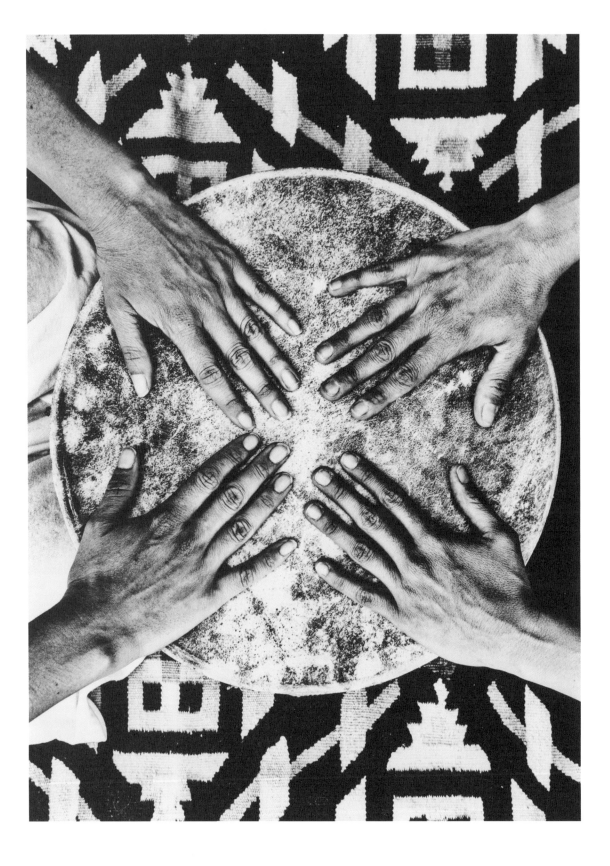

# Chapter Four

# 조각과 직물

조각이란 다른 각도에서 볼 수 있는 입체적인 대상물을 말합니다. 입체로 작업할 때 가장 좋은 점은 창의적인 과정에 실제적인 촉감으로 접근한다는 것입니다. 4장에서는 점토, 일상적인 오브제들, 석고, 그리고 자연물과 같은 다양한 재료를 당신의 감정과 연결하는 데 활용할 것입니다.

# 조각으로 감정 표현하기

**효과 :**

스트레스 감소와
정서 인식을 도움

**실습 시간:**
1시간

**재료 :**

자연 건조되는 찰흙
작은 크기의 지퍼백
아크릴 물감
붓
물 한 컵

<조각으로 감정 표현하기>는 감각을 사용하여 추상적인 모양을 만들 수 있게 합니다. 이 실습은 창작에 관한 것이 아니라, 감각을 실질적으로 활용하는 것에 관한 것입니다. 찰흙을 꽉 쥐고 뗄 때의 감정은 당신의 현재 감정 상태의 연장선이기도 합니다. 찰흙 작업을 통해 당신이 느끼고 있는 것을 객관화할 수 있습니다. 내담자들은 이 실습으로 자신의 감정을 몸 밖으로 끌어낼 수 있고, 그 결과, 감정이 몸 안에 남아 있지 않으므로 마음이 가벼워진다고 말합니다.

**방법:**

1. 비닐봉지에 찰흙 덩이를 넣어 주세요.

2. 눈을 감습니다.

3. 비닐봉지에 들어 있는 찰흙을 꽉 쥐어 보세요. 찰흙이 당신의 손가락 사이로 움직이는 것을 느껴 봅니다.

4. 눈을 뜬 후 봉지에서 찰흙을 꺼냅니다.

5. 찰흙을 조각으로 형상화합니다. 그 조각은 당신이 원하는 아무 모양이나 다른 것이 될 수 있습니다.

6. 찰흙이 마르게 둡니다.

7. 당신이 어떻게 느끼는지를 보여주는 물감 색을 하나 고릅니다.

8. 고른 색을 찰흙 조각에 칠합니다.

9. 조각이 완전히 건조되고 나면, 쉽게 접근할 수 있는 곳에 작품을 놓아두세요. 그 조각품을 손가락과 손으로 굴려 마음을 진정시키는 도구로 활용해 봅시다.

## 대화를 위한 질문들

- 조각을 만들면서 어떤 감정이 일어났나요?

- 마음을 진정시키는 도구로 그 조각품을 계속 활용하게 되면 당신에게 어떤 영향을 줄까요?

- 조각을 만든 후의 느낌은 어떤가요?

# 양철 인간 표현하기

**효과:**

정서 표현의 수용과
자기 인식 발달

**실습 시간:**
1시간

**재료:**

가위
자
알루미늄 포일
부직포
글루건과 글루건 심

<양철 인간 표현하기>는 당신이 세상에 존재하는 방식을 보여주는 인물상을 만들기입니다. 신체언어에는 감정이 담겨 있습니다. 당신의 양철 인간은 팔짱을 낀 채 웅크리고 있을까요, 팔을 뻗은 채 우뚝 서 있을까요, 아니면 조용히 앉아 있을까요? 신체언어와 관련된 형상 작업은 제 내담자들이 온종일 그들의 마음가짐을 더 잘 이해하도록 도와주었습니다. 이는 당신이 다른 사람에게 전하는 메시지, 자신에게 보내는 메시지, 그리고 당신의 신체 변화에 따라 그 메시지가 어떻게 바뀔 수 있는지 인식하는 것을 돕습니다. 예를 들어, 당신이 힘을 발휘하고 싶거나 당신은 늘 강하다는 확신을 자신에게 주고 싶다면, 일어선 채 손을 허리에 얹으면 됩니다.

**방법:**

1. 알루미늄 포일을 30x15cm 크기의 사각형 세 개로 오려 줍니다.
2. 오린 호일 조각들을 말아 둥글고 긴 튜브 모양으로 만들어 줍니다.
3. 첫 번째 튜브를 반으로 접어 주세요. 이 부분은 양철 인간을 위한 다리가 됩니다.
4. 두 번째 튜브를 두 다리의 중앙에 붙여 주세요. 이 튜브는 머리와 몸통이 됩니다.
5. 마지막 튜브를 몸통 둘레에서 꼬아주면 팔이 됩니다.
6. 지금 당신의 감정을 보여주기 위한 양철인간의 모습으로 매만져 보세요.
7. 당신의 감정 표현을 돕기 위해, 자른 펠트 조각을 양철 인간에 글루건으로 붙여 줍니다.

## 대화를 위한 질문들

- 양철 인간은 당신이 느끼는 세상 속 당신의 처지와 어떤 관계가 있나요?
- 만약 당신의 양철 인간이 말을 할 수 있다면, 무슨 말을 할까요?

# 자연물 설치하기

**효과 :**

스트레스 줄임, 공동체 의식
증진 및 문제해결 능력 향상

**준비 시간:**
30분

**실습 시간:**
30분

**재료 :**

자연물들
(돌, 낙엽, 나뭇가지 등)
글루건과 글루건 심

자연에서 시간을 보내면 평온함과 이완을 느낄 수 있습니다. 때때로 자연은 당신의 마음을 차분하게 하고 진정시키는 데 도움이 됩니다. 이 보물찾기는 당신의 마음을 진정시키고 당신을 둘러싼 환경을 새로운 방식으로 바라보게 할 것입니다. 쓰레기 조각을 주워서 그것을 다른 방식으로 어떻게 활용할 수 있을지 생각해 볼까요? 당신이 발견한 것 그리고 그것을 활용해 무언가를 하는 것은 삶에 대한 은유입니다. 이 과정은 당신이 어떻게 무에서 유를 창조하는가를 보여줍니다.

## 방법:

1. 자연으로 산책을 나가 봅시다.

2. 걸으면서 자연물을 모아 보세요.

3. 자연물을 실내로 가져와 배열해 보세요. 배열한 자연물을 글루건으로 모두 붙여 하나의 설치작품을 만들어 봅시다.

## 대화를 위한 질문들

- 자연에서 재료들을 찾는 동안 어떤 기분이 느껴졌나요?

- 좀 더 이완되었나요?

- 자연물들을 한데 모아 하나의 설치작품을 만들었을 때 어떤 기분이 들었나요?

- 재료의 특성상 아마도 작품이 오래 지속되지 않을 텐데, 이는 의도된 것이기도 합니다. 오래 지속되지 않을 무언가를 만드는 기분은 어떤가요?

**집단 치료에서는** 다 함께 대형 설치물을 하나 만들어 보세요.

# 꽃으로 표현하기

**효과 :**

스트레스 완화와
창의적 표현 발달

**실습 시간 :**

50분

**재료 :**

생화(구하거나 구매한 것)

주변의 꽃들을 바라보고, 꽃의 무늬를 살펴보고, 현재 당신의 기분을 표현하기 위해 꽃들을 어떻게 배열하면 좋을지 생각해 보세요. 이 창의적인 표현 과정은 기분을 좋게 하고, 당신이 느끼고 있을지도 모르는 긴장을 풀어줄 수 있습니다. 종종 저의 내담자들은 그들의 최종 작품을 사진으로 찍어 두는 것을 좋아하는데, 이렇게 하면 작품이 지닌 아름다움을 계속 볼 수 있을 것입니다.

## 방법:

1. 자연을 산책하면서 꽃을 모으거나 가게에서 꽃을 구매합니다. 원한다면, 꽃 대신에 돌이나 나뭇잎으로 작업해도 좋습니다.

2. 꽃잎을 떼어내 색깔별로 분류하세요(또는 돌이나 나뭇잎을 색깔별로 분류하세요).

3. 색깔은 미적으로 보기 좋게 구성합니다.

4. 누군가에게 당신의 작품을 말로 헌정합니다.

## 대화를 위한 질문들

- 이런 방식으로 자연과 소통하는 느낌이 어땠나요?

- 당신이 만든 아름다운 창작물을 그 사람에게 헌정한 이유는 무엇이었을까요?

# 나만의 제단

**효과 :**

스트레스 완화와
대처 기술 향상

**준비 시간:**
10분
**실습 시간:**
50분

**재료 :**

영감을 주는 것들
(꽃이나 다른 자연물, 양초,
책, 시, 노래 가사, 사진, 방울,
인형, 크리스털, 예술품 등)

제단은 자기 관리, 영성, 그리고 긍정적인 에너지에 전념하기 위한 신성한 사적 공간입니다. 당신이 삶에 더 들이고 싶은 것은 무엇인가요? 평화, 치유, 부유함, 사랑, 보호인가요? 당신의 생활 공간에 이 제단을 두면 자기 관리를 매일 실천하도록 실질적으로 상기시켜 줄 것입니다. 이 공간에서는 자신을 평안하게 하는 것들을 할 수 있습니다.

**방법:**

1. 제단을 놓기 위한 위치(예를 들어, 침실용 탁자 또는 방의 구석)를 찾아보세요. 제단에 놓을 물건들이 건드려지거나 옮겨지지 않는 장소라면 좋을 것 같습니다.

2. 제단을 위한 주제를 최소 한 개 이상 골라 봅시다. 평화, 부유함, 보호, 치유 또는 영감을 선택할 수 있을 것입니다.

3. 제단에 영감을 줄 만한 중요한 재료를 5개에서 10개 정도 골라 봅시다.

4. 고른 것들을 다 모았으면, 제단에 축원을 내립니다. 조용하게 또는 큰 소리로 당신이 희망하는 것을 말로 표현하세요. 이 축원은 짧게 또는 길게 당신이 원하는 만큼 해도 좋습니다.

5. 제단 근처에 앉아 당신이 이루고자 하는 바를 말로 표현하면서 제단을 활용하면 됩니다.

### 대화를 위한 질문들

- 제단을 얼마나 자주 활용할 건가요?
- 자신만을 위한 시간을 보내는 기분이 어떤가요?
- 자신만을 위한 공간을 찾는 기분이 어떤가요?

# 나를 보호하는 인형

**효과 :**

보호의 감정 증진과
대처 능력 발달

**준비 시간:**
10분
**실습 시간:**
50분

**재료 :**

50cm 길이의 철사
폴리머 클레이(오븐 점토)
가위
옷
일상적 오브제(깃털, 꽃, 낙엽)
글루건과 글루건 심

보호와 위로를 받고 싶을 때 사람들이 도움을 청하는 여러 상징과 형상들이 있습니다. 이 상징과 형상에는 영혼의 안내자, 천사, 대천사, 그리고 다른 많은 것들이 포함됩니다. 인형의 형상을 만드는 것은, 당신을 보호하는 자를 실질적인 상징물로 만드는 것입니다. 인형은 당신이 갈망하고 드러내고 싶은 것에 대한 당신의 상징이 됩니다.

**방법:**

1. 시작하기에 앞서, 인형을 만드는 의도를 정합니다. 이 인형이 당신에게 어떤 역할을 해주었으면 하나요? 평온함과 보호를 느끼기 위함인가요, 아니면 여정의 길잡이가 되기 위함인가요? 이 인형에 담고 싶은 의도를 10분 동안 생각해 봅니다. 그리고 결정한 후에는 인형을 만드는 내내 그 의도를 염두에 두도록 합니다.

2. 철사를 똑같이 두 개로 자르는 것부터 시작하세요.

3. 철사의 윗부분을 반으로 접어 U자 모양으로 만드세요.

4. 동그라미 모양을 만들기 위해 U자로 된 철사를 꼬아줍니다. 이 부분은 인형의 머리가 될 것입니다.

5. 두 번째 철사를 첫 번째 철사의 가운데에 감아서 두 개의 팔을 만듭니다. 이제 첫 번째 철사의 끝부분 두 개가 다리처럼 튀어나와 있으면 됩니다.

6. 동그라미 모양의 철사 윗부분에 폴리머 클레이(오븐 점토)를 붙여 머리 부분을 만들어 줍니다.

7. 머리에 얼굴 모양을 만들어 줍니다.

8. 폴리머 클레이(오븐 점토)의 제품포장지에 기재된 안내 사항에 따라 인형을 오븐에 구워 주세요.

9. 원단과 일상적인 오브제들로 철사 부위를 감싸 몸을 장식합니다.

10. 원단과 오브제들을 글루건으로 붙여 주세요.

## 대화를 위한 질문들

- 인형을 만든 의도는 무엇인가요? 큰 소리로 이야기해 봅니다.

- 그 인형은 어디에 보관할 건가요?

- 인형의 이름은 무엇인가요?

- 인형을 만든 의도를 계속 드러내기 위해서 그 인형을 어떻게 활용하면 좋을까요?

# 가면 만들기

**효과:**

자기 인식, 감정 조절과
대처 능력 향상

**실습 시간:**
1시간

**재료:**

석고붕대
가위
물 한 그릇
페이스 몰드
아크릴 물감
붓
물 한 컵

<가면 만들기>는 우리가 세상에 드러내거나 숨기는 것을 표현하는 하나의 방법입니다. 마스크의 바깥쪽은 우리가 자신을 보는 방식이나 우리가 사람들에게 보여주는 것을 나타낼 수 있습니다. 마스크의 안쪽은 우리의 감정을 담는 그릇이 될 수 있습니다. 우리는 분노, 탐욕, 질투 또는 수치심과 같이 사회적으로 용납될 수 없는 감정을 숨기고 있는지도 모릅니다. 마스크는 억눌러 온 감정을 표현하게끔 합니다. 이 실습에는 두 가지의 접근 방식이 있으며, 그 방향성은 다음과 같습니다. 실습의 첫 번째 목표는 강한 감정을 다루기 위한 새로운 대처 기술을 더 익히는 것입니다. 두 번째 목표는 현재의 감정을 눈에 보이게 하는 것입니다.

**방법:**

1. 석고붕대를 길쭉한 조각들로 자릅니다.

2. 석고붕대를 물에 살짝 담가 석고를 풀어줍니다.

3. 풀어진 석고붕대를 페이스 몰드에 붙여 줍니다.

4. 길쭉한 붕대 조각들을 몰드 위에 3겹으로 올려 마스크를 견고하게 만들어 줍니다.

5. 마스크가 굳고 마를 때까지 15분간 기다립니다.

6. 현재 감정을 보여주는 색으로 마스크의 안쪽을 칠해 주세요.

7. **실습 1:** 당신의 감정을 더 잘 관리하기 위해 익히고 싶은 새로운 대처 기술을 생각해 보세요. 마음속에 대처 능력이 있다면, 이와 연관된 색깔을 생각해 보세요. 마스크 바깥쪽은 대처 능력을 의미하는 색으로 칠합니다.

8. **실습 2:** 또 하나의 방법은, 마음속에서 일어나고 있는 내적인 이미지를 만들고 그 이미지를 색과 연결해 보는 것입니다. 그리고 마스크 바깥쪽에 그 색을 칠하세요. 예를 들어, 근래의 트라우마를 떠올리는 중이고, 그 트라우마가 당신의 마음속에 빨간색으로 있다면, 마스크의 바깥쪽을 빨간색으로 칠하면 되겠지요.

## 대화를 위한 질문들

● 마스크를 얼굴에 대고 당신이 만든 캐릭터로 역할극을 해봅시다.
  그 사람이 하고 싶은 말은 무엇인가요?

● 마스크 안쪽의 느낌과 바깥쪽에서 보이는 느낌은 어떻게 다른가
  요?

● 자신에 대해 깨달은 바가 있다면, 그것은 무엇인가요?

# 돌을 활용한 그라운딩

**효과 :**
불안 완화와 대처 능력 발달

**준비 시간:**
10분
**실습 시간:**
30분

**재료:**
(강가의 돌처럼) 작은 돌
여러 가지 색의 마커

<돌을 활용한 그라운딩(grounding)>은 당신의 에너지를 그라운딩 시킴으로써 불안한 감정을 완화하는 데 큰 도움이 되는 방법입니다. 에너지를 그라운딩 하는 것은 당신을 땅과 힘차게 연결하게 하는 연습입니다. 그라운딩을 하고 나면, 그 순간에 좀 더 존재감을 가지게 됩니다. 그라운딩용 돌은 주머니에 넣어 둔 채 감정에 휩싸일 때마다 잡을 수 있는 돌을 의미합니다. 돌을 손에 쥠으로써 차분해지고 현실에 대한 자극을 받게 됩니다. 여기에 당신을 미소 짓게 하는 말을 보탤 수도 있습니다. 맨발로 잔디밭에 서 있거나, 나무줄기를 만지거나, 천천히 심호흡을 열 번 하는 것 역시 그라운딩을 느낄 수 있는 다른 방법들입니다.

**방법:**

1. 손바닥만 한 크기의 다양한 돌을 살펴봅시다.

2. 매력적이고 손에 쥔 느낌이 좋은 돌을 하나 고르세요.

3. 마커들을 살펴본 후 마음을 울리는 한 가지 또는 여러 색의 마커를 고릅니다.

4. 고른 돌을 마커로 칠합니다.

5. 마음을 차분하게 하는 긍정적인 말을 생각한 후 돌 위에 그 말을 검정 마커로 써 보세요.

6. 완성된 돌을 몸에 지니고 다닙니다.

**대화를 위한 질문들**

- 무엇이 당신을 불안하게 만드나요?

- 마음이 차분해지고 불안에 대처하는 데 도움이 되는 것을 상상해 볼 수 있나요?

- 돌은 언제 지니고 다니면 좋을까요?

# 조각으로 가족 표현하기

**효과:**

가족 역동에 대한 이해 촉진

**실습 시간:**

1시간

**재료:**

자연 건조되는 찰흙
조각용 도구
종이
그림용 연필

유년기의 양육환경은 어른이 되었을 때의 신념과 세상을 바라보는 관점을 형성합니다. 가족 역동에 대한 통찰력을 얻기 위해서는 인생에서 만난 사람들과 어떤 관계를 맺어 왔는지 살펴보는 것이 중요합니다. 그 관계는 중요했나요, 지지적이었나요, 아니면 도전적이었나요? 가족 내 감정의 역동과 역할을 알아보기 위해서, 어머니, 아버지, 형제자매 그리고 당신과 가깝거나 당신에게 영향을 미친 다른 가족 구성원을 각각 찰흙으로 만들어 봅시다.

**방법:**

1. 찰흙 포장재에 기재된 안내 사항에 따라, 당신의 인생에서 중요한 각 가족 구성원들을 하나의 형상으로 만들어 보세요.

2. 형상을 만들면서 당신 안에서 일어나는 감정에 주목해 보세요. 그 감정을 종이에 적어 보는 것도 좋은 방법이 됩니다.

**대화를 위한 질문들**

- 가족의 각 구성원은 어떤 역할을 하나요? 이 역동에서 당신은 어디에 있나요?

- 누가 가장 지지적이었나요?

- 관계를 발전시키는 방법에는 어떤 것이 있을까요?

- 가족을 생각하면 어떤 감정이 떠오르나요?

# 분노의 고통체

**효과 :**

감정 조절과 대처 능력 향상

**실습 시간:**

1시간

**재료 :**

자연 건조되는 찰흙

조각용 도구

감정적인 고통은 적당히 흐르지 않으면 매우 파괴적으로 될 수 있습니다. 부정적인 감정을 억누르는 것은 시간이 지남에 따라 고통체(painbody)를 만들어냅니다. 제가 고통체를 처음 알게 된 것은 에크하르트 톨레(Eckhart Toll)를 통해서였습니다. 그는 우리가 고통스러운 삶의 경험을 계속 붙잡고서 그것들을 떠나보내지 않을 때 고통체가 만들어진다고 말합니다. 우리가 그러한 부정적인 감정을 붙잡고 있을 때, 우리 몸에는 고통의 에너지 형태가 만들어집니다. 수년에 걸쳐 이런 일이 반복되면, 고통체는 계속 자라다가 곪아버리게 됩니다. 이 에너지를 치유하기 위해, 우리는 자신을 감정과 분리할 수 있어야만 합니다. 이 실습에서 자신의 고통체를 나타내는 점토 형상을 만듦으로써 감정적인 고통을 떨쳐버릴 수 있을 것입니다.

**방법:**

1.  점토를 활용하여 형상을 만듭니다. 머리 부분을 위해 공을 먼저 만들어 봅시다.

2.  몸통을 만들기 위해 직사각형 모양을 만듭니다.

3.  팔과 다리를 만들기 위해 긴 직사각형 모양을 4개 만들어 주세요.

4.  조각 도구를 사용하여 만든 부위들을 모두 붙여 줍니다.

5.  점토로 만든 고통체에 이목구비를 더해 줍니다.

6.  당신의 고통체에 이름을 지어 주세요.

## 대화를 위한 질문들

*   다음번에 당신이 분노를 느끼면, 잠시 멈춘 후 그 분노에 이름을 지어 주세요. 자신을 감정과 분리하게 되면, 분노를 다루는 방법에 있어서 더 나은 선택을 할 수 있습니다. 마지막으로 분노한 것이 언제인가요?

*   당신의 고통체는 얼마나 컸나요?

*   이제 당신은 다른 이들의 고통체를 느낄 수 있나요?

# 기원의 깃발

**효과 :**

희망, 꿈과 걱정의 표현 및
마음 다잡기

**실습 시간:**

1시간

**재료:**

원단
자
가위
재봉 바늘
실
섬유 전용 마커(패브릭 마커)
원단용 물감
붓
물 한 컵
줄 또는 끈

기원의 깃발은 수천 년 전 불교 이미지를 사각형의 목판화로 만든 티베트와 불교의 전통으로 거슬러 올라갑니다. 깃발들은 항상 다섯 개의 같은 색으로 혼합되었으며, 10개의 묶음이 같은 순서로 매달려 있습니다. 깃발의 다섯 가지 색은 다섯 개의 기본 요소를 나타내며 항상 왼쪽에서 오른쪽의 순서로 걸어야 합니다. 파란색은 하늘을, 흰색은 구름을, 빨간색은 불을, 초록색은 물을, 노란색은 땅을 상징합니다. 자신에게 중요한 무언가를 위해 각각의 천 조각을 봉헌할 수도 있습니다. 봉헌은 치유, 사랑, 우정, 자기 관리, 그리고 자아의 힘이 될 수 있습니다.

**방법:**

1. 원단을 13x18cm 크기의 사각형으로 자릅니다.

2. 원단의 윗부분을 아래로 접어 하단을 꿰매 8cm 크기의 소매를 만듭니다.

3. 섬유 전용 마커와 섬유 전용 물감을 사용하여 당신에게 감흥을 주는 색과 상징으로 깃발을 장식하세요.

4. 섬유 전용 마커를 사용하여, 당신의 의도를 굳히는 단어를 깃발에 씁니다.

5. 깃발을 줄에 끼우고 수직으로 늘어뜨리세요. 완성된 깃발을 밖에 걸어 산들바람이 당신의 의도를 널리 퍼뜨리게끔 합니다.

6. 치유가 지속되기 위해서는, 10일간 매일 깃발을 만들어 하나의 줄에 다 같이 끼워 깃발 묶음을 만드는 방법도 고려할 수 있습니다.

### 대화를 위한 질문들

- 당신이 깃발에 덧붙인 의도가 있다면, 그것은 무엇이었나요?

- 왜 그 의미가 지금 당신의 인생에서 중요한가요?

**집단 치료에서는** 각각의 참여자들이 깃발을 만든 의도를 집단 안에서 공유하도록 합니다.

# 꿈 상자

**효과 :**

목표와 꿈 인지

**준비 시간 :**

10분

**실습 시간 :**

50분

**재료 :**

잡지

가위

마분지 상자

꿈 상자는 당신의 삶에 들여오고 싶은 목표를 설정하기 위한 하나의 도구가 됩니다. 이는 비전 보드(vision board)와 매우 유사합니다! 하나의 목표를 선택한 다음 그것을 시각적으로 보여주는 이미지를 찾으세요. 이미지 대신 중간 대상을 꿈 상자에 보관할 수도 있습니다. 중간 대상은 특히 생소하거나 진기한 상황에 있는 당신에게 편안함을 주는 어떤 것을 의미합니다. 예를 들어, 저는 행운의 부적으로 열쇠 목걸이를 착용합니다. 착용하지 않을 때는 안전을 위해 저의 꿈 상자에 목걸이를 보관하곤 합니다. 창의력을 발휘하여 당신의 삶에 들이고 싶은 세세한 것들을 모두 생각해 보세요.

**방법 :**

1. 당신의 삶에 들여오고 싶은 한 가지를 생각해 보세요.

2. 욕구를 표현하기 위한 이미지와 긍정적인 인용구를 잡지에서 오려 꿈 상자에 넣으세요.

3. 온종일 편안함을 주는 특별한 중간 대상(예: 팔찌, 부적, 돌)을 보관하기 위해 꿈 상자를 활용합니다.

**대화를 위한 질문들**

- 어떤 한계나 두려움이 없다는 가정하에, 당신은 무슨 소원을 빌 건가요?

- 당신이 소원하는 것은 무엇이든지 이루어질 수 있다고 믿나요?

- 지금의 이 바램을 방해하는 것은 무엇인가요?

- 당신의 꿈이 현실이 되게끔 자신감을 키워주는 다짐에는 어떤 것이 있을까요?

# 아상블라주 미술

**효과 :**

문제해결 능력 향상과
스트레스 완화 제공

**실습 시간:**
1시간

**재료 :**

집에서 찾은 일상적인 오브제
(작은 장난감, 아기자기한
장식품, 고장 난 물건,
오래된 보석 등)
나무 상자
(대략 담뱃갑만 한 크기)
글루건과 글루건 심

아상블라주(Assemblage)는 입체적이고 일상적인 오브제들을 조합하는 미술을 일컫습니다. 아상블라주는 콜라주와 비슷하지만, 콜라주는 단지 평면 매체에 지나지 않습니다. 일상적인 오브제들을 배열하여 뭔가 새로운 것을 창작하는 것은 그런 사물들에 새로운 의미를 부여합니다. 소중한 추억, 여행하면서 구한 값싼 장신구, 또는 당신의 시선을 사로잡는 흥미로운 그 어떤 것이라도 좋습니다. 예술의 제작과정이 놀라울 정도로 펼쳐질 것입니다.

## 방법:

1. 오브제들을 재미있게 조합하여 나무 상자에 넣습니다.

2. 해묵은 것에서 벗어나 뭔가 새로운 것을 만들 방법을 생각해 보세요.

3. 오브제들을 다 같이 붙이거나 상자에 붙여 주세요.

4. 창작한 작품에 새로운 의미를 부여합니다.

## 대화를 위한 질문들

- 이 작품은 현재 당신의 삶을 어떻게 반영하고 있나요?

- 결과물을 보고 놀라웠나요? 해볼 만한 작업이었나요?

- 작업하면서 어려운 점은 어떻게 극복했나요?

- 만약 당신의 작품이 말을 할 수 있다면 어떤 이야기를 할 것 같나요?

# 희망으로 가득 찬 틴케이스

**효과 :**

분노, 우울 및 PTSD 완화

**준비 시간:**

10분

**실습 시간:**

1시간

**재료 :**

양철로 된 사탕 상자
(역자: 틴케이스)
스프레이 페인트
일상적 오브제(주변의 사물들)
다양한 종이와 사진들
글루건과 글루건 심

당신에게 중요하면서도 강력한 메시지가 담긴 주머니 크기의 조각품이 얼마나 아름다울지 생각해 봅니다. 이제 그 시각적인 이미지에 희망을 곁들여 봅시다. 희망은 원하는 것을 드러내는 기대를 말합니다. 치유와 창작으로 충만한 삶의 자세는 많은 이들이 나누는 중요한 희망이므로, 당신도 최우선적인 신념으로 삼을 수 있습니다. 당신에게 희망은 무엇으로 보이나요? 당신의 틴케이스에 희망을 퍼뜨릴 수 있는 상징, 동물, 또는 메시지가 있나요?

**방법:**

1. 인생에서 더 바라는 것이 무엇인지 10분 동안 생각해 봅니다.

2. 틴케이스에 스프레이 페인트를 뿌려 주세요.

3. 일상적 오브제(주변의 사물들), 종이, 그리고 사진을 활용하여 당신이 인생에서 더 바라는 것을 보여주는 이미지를 틴케이스 안에 조합해 봅시다.

4. 틴케이스 안의 이미지를 글루건으로 붙여 줍니다.

**대화를 위한 질문들**

- 작품을 만들면서 어떤 메시지가 떠올랐나요?

- 완성한 틴케이스는 어디에 보관할 건가요?

- 이 틴케이스를 가지고 다닐 건가요?

# 마음 회복하기

**효 과 :**

효과: 감정 조절 능력과
대처 능력 발달


**실습 시간:**

1시간


**재 료 :**

(그림이 그려졌거나 인쇄된)
원단

가위

각양각색의 일상적 오브제
(주변의 사물들), 비즈와 스팽글

물감

붓

물 한 컵

원단용 마커

실

재봉 바늘

재봉틀(선택 사항)

약 230g 가량의 베개 충전재
(역자: 구름 솜 또는 방울 솜)

우리의 마음은 수많은 감정을 담아주는 그릇입니다. 만약 마음속의 감정을 보여줄 수 있다면, 그것은 어떻게 생겼을까요? 지금, 당신의 마음이 사랑받고, 길을 잃고, 충만하고, 자유롭고, 화가 나고, 부서지고, 무겁고, 상처 입고, 혹은 가볍다고 느껴지세요? 우리의 마음은 회복 탄력적입니다. 돌봄, 배려, 그리고 자기 연민을 통해 손상된 마음을 치유할 수 있습니다. 이 실습에서는 마음을 만들고, 당신의 마음을 가장 잘 보여준다고 믿는 것들로 마음 안을 채울 것입니다. 저는 내담자들의 작품에서 다양한 유형의 마음들을 많이 봐왔습니다. 몇몇 마음은 부서졌고, 어떤 마음은 우리에 갇혔고, 다른 마음들은 날개를 가지고 있었습니다. 모든 이의 마음은 독창적이며 그들이 겪은 경험으로 만들어집니다.

## 방법:

1. 당신의 마음을 보여주는 색이 입혀진 원단이나 인쇄된 원단을 준비해 주세요.

2. 같은 크기의 마음 모양이 두 개가 나오도록 원단을 잘라 주세요.

3. 일상적 오브제(주변의 사물들), 비즈, 스팽글, 그리고 물감을 사용하여, 최근 당신이 보는 자신의 마음이 어떤지를 보여주기 위해 두 개의 원단 조각을 장식합니다.

4. 원단용 마커를 사용하여, 당신의 이야기를 쓰거나 마음 한쪽에 인용구를 추가할 수도 있습니다.

5. 장식한 두 개의 마음이 다 건조되면, 이 두 개를 맞대어 윤곽을 따라 바느질하세요. 나중에 솜을 넣어야 하므로 3cm 정도는 바느질하지 않고 남겨놓습니다. 그리고 구멍에 솜을 넣은 후 창구멍을 꿰매 줍니다.

## 대화를 위한 질문들

- 오늘 당신의 마음을 어떻게 묘사해 볼까요?

- 앞으로는 당신의 마음에 어떤 감정이 담겼으면 하나요?

# 회상의 바느질

**효과 :**

긍정적 정서 증진과
추억의 되새김을 도움

**준비 시간:**
10분
**실습 시간:**
50분

**재료 :**

기억할만한 것들
(뜯고 남은 티켓, 영수증, 일기,
연애편지, 사진, 압화 등)
자투리 원단
재봉틀(선택 사항)
재봉 바늘
실

<회상의 바느질>은 당신이 가장 좋아하는 경험을 수집합니다. 이것은 좋은 추억을 꺼내어 하나의 예술작품으로 만드는 방법이기도 합니다. 이처럼 특별한 작품은 삶에 얼마나 많은 소중한 순간들이 있는지를 강조합니다. 긍정적이고 즐거운 에너지는 더 긍정적이고 즐거운 에너지를 끌어당기므로 긍정적인 기억에 전념하는 것이 중요합니다. 이 실습을 하는 동안, 당신은 더 긍정적인 경험을 끌어당기기 위해 삶의 긍정적인 순간들을 상징하는 것들을 모을 것입니다. 당신은 해묵은 사건들로부터 새로운 무언가를 만들게 될 것입니다.

**방법:**

1. 집을 돌아다니면서 긍정적인 에너지가 담긴 기념품이나 남은 원단(가령, 사랑하던 사람의 오래된 티셔츠)을 모아주세요.

2. 그 기념품들을 남은 원단에 싸면 긍정적인 추억을 담은 작은 보따리가 됩니다.

3. 재봉틀을 사용하여 그 보따리를 박음질합니다. 만약 재봉틀이 없다면 바늘과 실로 꿰매 주세요.

4. <회상의 바느질>은 벽에 걸 수도 있으며, 항상 지니고 다닐 수도 있습니다.

## 대화를 위한 질문들

- 추억을 모으면서 어떤 감정이 올라왔나요?

- 그 추억들을 어떻게 한 보따리에 모두 담았나요?

- 당신의 예술작품에는 삶의 특정한 시간이 담겨 있나요?

- 긍정적인 감정을 늘리기 위해 이제 당신이 하고 싶은 것은 무엇인 가요?

- 저의 많은 내담자는 행복한 순간을 다시 경험하기 위해 스스로 즐거운 데이트를 계획하거나 사람들과 다시 연락하는 것을 좋아 합니다. 행복한 순간을 즐기기 위해 자신이나 다른 사람들과 다시 연결되려면 무엇을 하면 좋을까요?

# 생존자의 손 석고 뜨기

**효과 :**

정서 처리, 자긍심 향상 및
트라우마를 통해
힘을 발견하는 것을 도움

**준비 시간:**
10분
**실습 시간:**
50분

**재료:**

알지네이트(또는 다른 유형의
석고손 뜨기 키트)

석고

장갑

그릇

아크릴 물감

붓

물 한 컵

석고붕대(대체되는 재료)

석유 젤리(대체되는 재료),
(역자: 흔히 바셀린으로 불림)

손은 표현을 풍부하게 하고 무언가를 할 수 있게 합니다. 당신의 손이 이야기를 전할 수 있는 다양한 방법들을 떠올려 보세요. 주먹 쥔 손, 모은 두 손, 기도하는 손, 또는 V를 하는 손은 어떤 이야기를 전하나요? 당신의 손은 지금 당신이 느끼는 것 또는 느끼고 싶은 것을 어떻게 표현하나요? 손동작은 메시지를 표현적이고 효과적으로 전할 수 있습니다. 저의 한 내담자는 무언가를 받기 위한 동작으로 손을 펴서 석고를 떴습니다. 그녀의 솜털과 혈관의 미세한 부분까지 볼 수 있을 만큼 석고가 아름답게 나왔었지요. 그녀는 석고에 색을 칠하지 않은 채 하얀 상태 그대로 두었습니다.

**방법:**

1. 10분간 다양한 손동작을 취해 보세요. 어떤 손동작으로 석고를 뜰지 결정합니다.

2. 포장재에 적힌 안내문에 따라 알지네이트를 준비합니다(만약 알지네이트가 없다면, 두 가지의 대체 방안이 있습니다. 하나는 석고물을 고무장갑에 부은 후 고무줄로 장갑을 막아 주는 것입니다. 이 고무장갑을 밤새 건조한 후 다 마르고 나면 고무장갑을 제거합니다. 또 한 가지 방법은 손에 석고붕대를 붙이는 것입니다. 붕대를 붙이기 전에 손에 석유 젤리(역자: 흔히 바셀린으로 불림)를 발라 석고가 피부에 달라붙지 않도록 합니다. 붕대가 다 마르고 나면, 손에서 석고 틀을 떼어냅니다).

3. 편안한 자세를 취한 후 알지네이트를 손 위에 붓습니다.

4. 알지네이트가 마를 때까지 20분간 그대로 두세요.

5. 알지네이트를 손에서 천천히 떼어냅니다.

6. 석고 가루를 물에 섞어 주세요(석고 가루와 물은 같은 비율로 합니다).

7. 석고 물을 알지네이트 틀에 부어줍니다.

8. 하루 동안 마르게 둡니다.

9.  알지네이트를 조심스럽게 벗겨내세요. 부서지기 쉬운 손가락 부분은 석고가 깨지지 않게 알지네이트를 작게 잘라가며 떼어냅니다.

10. 본뜬 석고 손은 하얀 상태 그대로 두거나 색을 칠해 장식합니다.

## 대화를 위한 질문들

- 당신의 손은 어떤 메시지를 담고 있나요?

- 실제로 무언가를 손에 쥐여주고 싶나요?

- 본뜬 손을 물감으로 칠하고 아름답게 장식하기로 했나요, 혹은 장식하지 않고 그대로 두기로 했나요? 그렇게 한 이유는 무엇인가요?

# 강점으로 만든 코일 항아리

**효과 :**

이완 증진, 불안 감소 및
자아 존중감 향상

**실습 시간:**
1시간

**재료 :**

자연 건조되는 찰흙
아크릴 물감
붓
물 한 컵

찰흙은 매우 기본적이고 치유적인 매체입니다. <강점으로 만든 코일 항아리>를 실습하는 목적은 쌓아 올린 개개의 코일에 강점을 부여하기 위함입니다. 일단 당신을 설명하는 특징들을 생각해 보면, 당신의 강점도 계속 생각이 날 것입니다. 아마도 생각보다 더 많은 강점이 있을지도 모릅니다. 어렵겠지만 이 실습을 시도할 용기가 당신에게는 충분히 있습니다. 강점 목록에 용감함을 추가해도 좋겠네요! 당신은 인정이 많고, 공감력이 있고, 창의적이고, 당차고, 대담하고, 호기심이 많고, 영리하고, 쾌활하고, 열정적인가요? 이 프로젝트에서는 찰흙으로 화분을 만들 것입니다. 먼저 바닥을 만든 다음 코일링 기법을 활용하여 층을 쌓아 올립니다. 완성된 코일 항아리는 장식용 화분이나 가정용 용기로 사용 가능합니다.

**방법:**

1. 찰흙을 주먹으로 치고, 두들기고 꽉 쥐면서 놀아봅시다.

2. 항아리의 바닥 면을 만들기 위해 둥근 찰흙 한 덩어리를 편평하게 만들어 주세요.

3. 뱀 모양의 사리를 만들기 위해 찰흙 한 덩이를 떼어내 책상에서 굴려 줍니다.

4. 굴린 사리로 항아리의 바닥 면 주위를 빙 둘러 줍니다.

5. 사리를 계속 만들어 원하는 항아리 높이에 이를 때까지 먼저 쌓은 사리 위에 올려 줍니다.

6. 만들어진 각각의 코일마다 자신의 강점 중 하나를 부여합니다.

7. 찰흙이 다 마르고 나면, 항아리에 물감을 칠합니다.

8. 만약 항아리를 크게 만드느라 실습이 1시간 이상 소요되었다면, 다른 편한 날에 항아리 만들기를 끝내세요. 한 번에 다 완성하지 않아도 됩니다.

## 대화를 위한 질문들

- 당신에게 얼마나 많은 강점이 있는지를 알고 놀라웠나요?

- 당신이 장차 갖고 싶은 성격에는 어떤 것들이 있나요?

- 항아리를 활용하는 또 다른 방법은 당신의 어려운 상황을 종이에 쓴 다음 그 종이를 항아리에 넣는 것입니다. 그 어려움을 감당할 때 당신의 강점이 도움되나요?

# 치유의 그릇

**효과 :**

감정 조절 능력과
대처 능력 발달

**준비 시간:**
10분
**실습 시간:**
50분

**재료 :**

제소(Gesso) 스프레이
도기 그릇
드라이어
큰 비닐봉지
망치
물감
붓
물 한 컵
액상 접착제
여러 가지 색의 마커

일본의 전통에는, 깨진 그릇의 틈을 금으로 채우는 킨쓰기(*kintsugi*)라고 불리는 예술 형식이 있습니다. 그릇의 과거는 감추어지면서 깨진 조각은 수리되고, 갈라진 틈은 아름답게 만들어집니다. 이 예술 형식은 파손되고, 치유되고, 변화하는 데는 아름다움이 존재한다는 메시지를 전합니다. 우리는 많은 것들을 담는 용기이기 때문에 그릇은 곧 우리를 상징합니다. 때때로 우리는 정서적으로 무너지기 때문에 치유가 필요합니다. 이 실습에서는 그릇을 깬 다음에 수리할 것입니다. 당신은 자신의 본질을 표현하기 위해 그릇의 속과 겉을 글로 채울 것입니다(이 프로젝트를 끝낸 후에 그 그릇을 음식 용기로 사용하는 것은 안전하지 않습니다).

**방법:**

1. 도자기 그릇의 겉을 제소 스프레이로 뿌립니다(오래된 그릇을 사용하거나 중고 할인점에서 하나 고르면 됩니다).
2. 스프레이를 뿌린 그릇을 드라이어로 건조합니다. 마르면 나면, 그릇을 비닐봉지에 넣어 주세요.
3. 그릇이 든 봉지를 딱딱한 표면에 놓고 망치로 그릇 가장자리를 두드려 몇 조각이 되게끔 부숴 줍니다.
4. 봉지에서 깨진 조각들을 꺼내 물감을 칠합니다.
5. 물감이 다 마르면, 조각들을 접착제로 모두 붙여 다시 그릇이 되게끔 합니다.
6. 마음에 드는 색의 마커를 하나 골라 그릇 겉의 깨진 선을 따라 그립니다.
7. 그릇 안에는 마커로 당신의 감정을 표현하는 단어를 써 주세요.

### 대화를 위한 질문들

- 힘든 경험들이 당신을 더 아름답게 만들었다고 느껴지나요?
- 그 경험들은 당신을 더 현명하게, 더 강하게, 더 온정적으로 만들었나요?

# 수용 상자

**효과 :**

감정 다루기와
대처 능력 발달

**실습 시간 :**
50분

**재료 :**

작은 크기의 나무상자 또는
마분지 상자
아크릴 물감
붓
물 한 컵
액상 접착제
일상적 오브제(주변의 사물들)
펜
종이

<수용 상자>는 당신이 다룰 수 없는 상황, 기분 또는 문제를 담는 용기입니다. 이 상자는 걱정, 두려움, 불안감, 또는 당신의 머릿속을 차지하는 모든 것을 담아냅니다. 이러한 걱정들을 글로 적어 신중하게 상자에 담는 과정은, 그런 걱정들을 해결하기 위한 더 높은 권한을 당신에게 주는 것과 같습니다. 이는 당신이 바꿀 수 없는 것들로부터 자신을 자유롭게 하는 상징적인 방법입니다. 이렇게 함으로써, 당신은 자신이 할 수 있는 것은 다 했다고 깨달으면서 해결책을 수용하게 됩니다. 이 예술 경험은 우리가 걱정을 떨쳐내고 힘든 경험을 배움의 여정으로 받아들이게끔 합니다. 저는 이 실습이 내담자들의 불안을 낮춰주는 것을 봐왔는데, 그 이유는 그들에게 더 이상 상황을 걱정하지 않을 권한을 이 예술 경험이 부여했기 때문입니다.

**방법 :**

1. 상자의 겉면을 물감으로 칠합니다.

2. 액상 접착제를 사용하여 일상적인 오브제들로 상자를 꾸며 줍니다.

3. 비밀, 두려움, 불안감, 걱정 등을 종이에 적어 상자 안에 신중하게 넣어 줍니다.

## 대화를 위한 질문들

• 당신에게 부여된 더 높은 권한으로 자신의 문제를 처리할 때와 그렇지 않을 때의 차이가 느껴지나요?

• 이전에는 어떤 신념을 갖고 다른 상황을 다루었나요?

• 극복을 위한 방안으로 기도를 하나요?

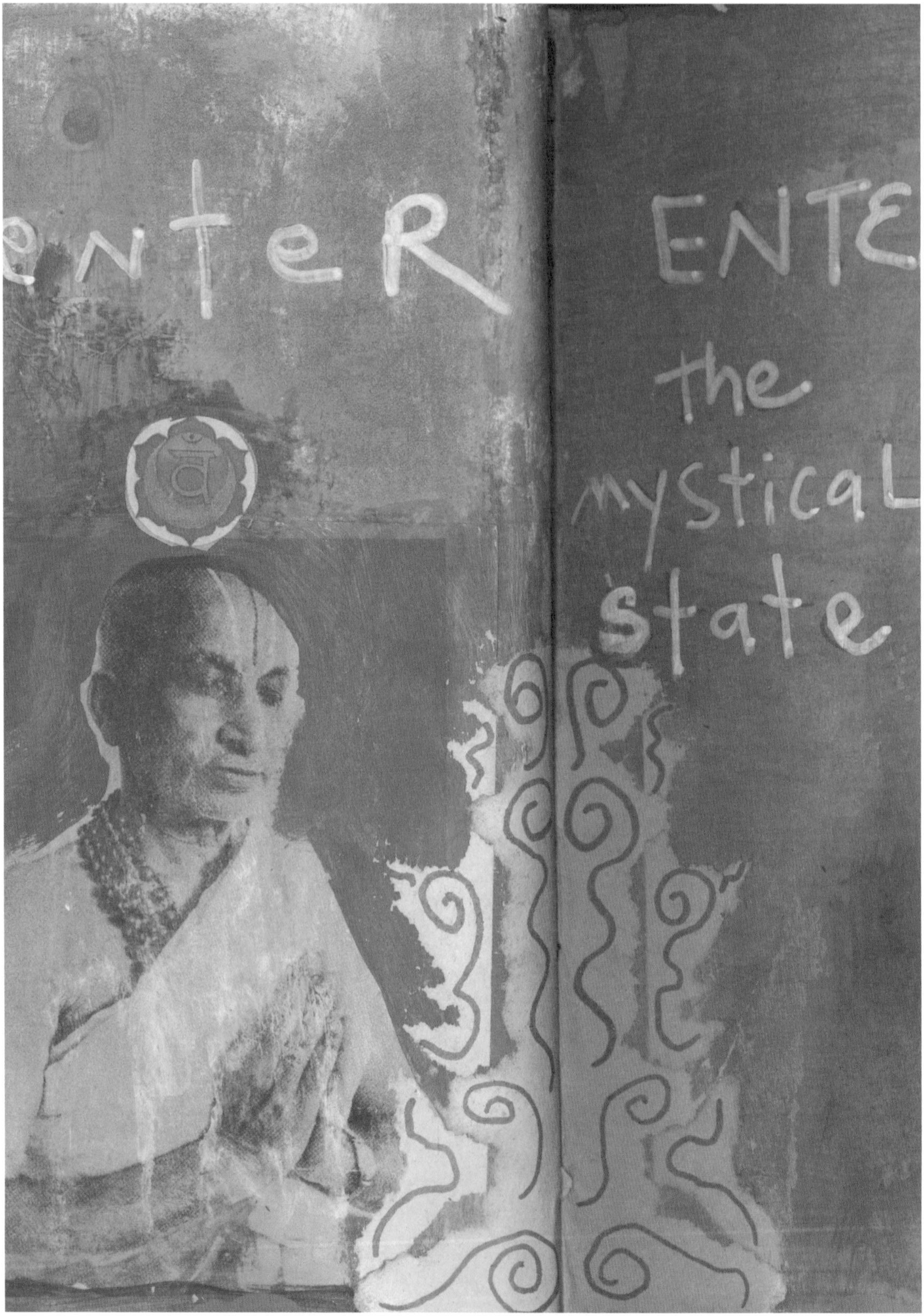
enteR
ENTE
the
mystical
state

# Chapter Five

# 글쓰기

창의적 글쓰기를 통해 감정에 접근할 수 있고, 고통을 외현화할 수 있으며, 경험을 이해할 수 있습니다. 5장에서 소개된 실습들은 감정을 표출하고, 자아를 판단하고, 삶을 계획하고, 창조적인 표현을 통해 자아 존중감을 향상하는 데 중점을 둡니다. 영감이 떠오르면 이미지를 넣을 수도 있습니다. 저는 제 생각과 감정을 담는 하나의 그릇으로서 그림을 그리고 일기를 쓰는 것을 좋아합니다.

# 들이기와 보내기

효과:

당신의 삶에 들이고 싶은 것과
더 이상 당신에게 도움 되지
않는 것 인지하기

실습 시간:
15분

재료:

종이
펜

이 실습에서는, 삶에 들이고 싶은 것을 명확하게 안내하는 글쓰기 방식을 작업합니다. 당신은 더 이상 당신을 도우려 하지 않고 해가 되는 사람들, 상황들, 심지어 물건들을 마음으로 놓아주게 될 것입니다. 만약 당신이 무언가로 인해 더 이상 기쁘지 않다는 것은, 이제 변화가 필요한 시점에 와 있음을 의미합니다. 많은 내담자는 그들의 삶을 어지럽히는 것을 내려 놓음으로써 안도감을 느끼고 그들을 더 가뿐하게 한다는 것을 발견합니다. 실제로 물건을 버리는 것은 중요한 첫걸음이 될 수 있습니다.

## 방법:

1. 종이 가운데 하나의 선을 그려 두 개의 칸을 만들어 줍니다.

2. 왼쪽 칸에는 '들이는 것'이라는 제목을 적습니다.

3. 이 칸에는, 당신의 삶에 들이고 싶은 것들을 모두 적어 주세요. 여기에는 사람, 감정, 경험, 그리고 사물이 포함될 수 있습니다.

4. 오른쪽 칸에는 '보내기'라는 제목을 적습니다.

5. 이 칸에는, 더 이상 당신을 도와주지 않는 모든 것들을 적어 보세요. 여기에도 사람, 감정, 경험, 그리고 사물이 포함될 수 있습니다.

6. 다 적었으면, 종이에서 '보내기' 부분을 찢은 다음 이를 잘게 찢어서 버리세요.

## 대화를 위한 질문들

- 행동으로 나서야 할 때가 되었습니다. 당신의 목표를 언제 달성할지를 달력에 표시해 보세요. 더 이상 당신에게 도움이 되지 않는 사람들, 장소들, 또는 물건들을 보내기 위해 무엇을 할 건가요?

- 당신이 갖고 싶은 감정과 경험을 들이기 위해 무엇부터 시작할 건가요?

# 두려움 극복하기

**효과 :**

대처 능력 향상

**실습 시간 :**
30분

**재료 :**

일기장
펜

두려움은 생존에 필요한 의지를 줍니다. 또한 방어를 위한 자연스러운 반응이기도 합니다. 하지만, 두려움과 불안이 우리의 삶에 부정적인 영향을 미치기 시작하면 우리는 곤경에 처할 수도 있습니다. 두려움은 최고의 인생을 살아가지 못하게 할 수 있습니다. 이 실습은 두려움이 당신의 삶에서 어떤 역할을 하는지를 이해하는 데 도움을 줄 것입니다. 이 글쓰기 실습에서 비우세 손(역자: 오른손잡이는 왼손을 사용)을 사용해 보면 당신의 무의식이 깨어날 것입니다.

**방법 :**

1. 비우세 손으로, 당신의 삶을 방해하는 세 가지 두려운 항목을 일기에 써 보세요.

2. 비우세 손을 계속 사용하여 이 질문들에 대한 답변을 써 보세요:

   - 마지막으로 두려움을 경험한 것이 언제였나요?

   - 만약 두려움을 경험하지 않았더라면, 어떤 인생을 살았을까요?

   - 두려움이 당신에게 좋은 점은 무엇인가요? 두려움이 어떤 식으로든 도움이 되나요?

   - 그 두려움은 어디에서 오는 걸까요?

   - 당신이 두려움을 통해 얻어야 할 교훈은 무엇인가요?

**대화를 위한 질문들**

- 두려움이 생기면 자신에게 물어보세요. 이건 현실일까 아니면 상상일까?

- 만약 두려움이 현실이고 당신이 위험하다고 느껴지면, 즉시 도움을 요청하세요. 만약 현실이 아니라면, 그것이 꿈이라는 것을 입증하는 다짐을 하세요. "나는 두려움 대신 사랑을 선택합니다."처럼 간단한 말은 당신이 앞으로 나아가게 하고 곤경에서 벗어나게끔 도울 수 있습니다. 두려움과 싸우는 데 도움이 될만한 다른 말에는 어떤 것이 있을까요?

# 도움이 되는 것과 해가 되는 것을 도표화하기

**효과:**

유익한 의사 결정 및
대처 능력 함양

**실습 시간:**
15분

**재료:**

일기장
펜

이 실습은 대처 능력을 시각적으로 표현하게 합니다. 걷잡을 수 없거나, 스트레스를 받거나, 화가 나거나, 또는 슬플 때, 이런 감정과 맞싸울 도구가 당신에게 있다는 것을 깨달으면 힘을 느끼게 됩니다. 우리는 모두 스트레스를 받지만, 중요한 것은 스트레스를 어떻게 적극적으로 처리하는가입니다. 이 실습은 내담자들이 항상 지지받고 있다는 것을 깨닫게 하고, 그들 스스로 감정을 다루게끔 도와줍니다.

**방법:**

1. 일기장의 가운데에 세로선을 그어 두 개의 칸을 만들어 줍니다.

2. 왼쪽 칸에는 나에게 도움을 주는 제목을 적습니다.

3. 오른쪽 칸에는 나에게 해로움을 주는 제목을 적습니다.

4. 나에게 도움을 주는 칸에는 감정을 걷잡을 수 없을 때 활용하곤 했던 모든 유용한 전략들을 적어 주세요(예를 들어, 누군가와 대화하기, 그림을 그리기, 산책하기, 책 읽기, 명상하기).

5. 나에게 해로움을 주는 칸에는 감정을 걷잡을 수 없을 때 활용하곤 했던 모든 해로운 전략들을 적습니다(예를 들어, 술, 격노, 부정적인 혼잣말, 고립 또는 자해).

6. 이 두 개의 칸을 완성하는 동안, 반드시 변화할 수 있도록 자신에게 솔직해지는 것이 중요합니다.

## 대화를 위한 질문들

- 감정을 걷잡을 수 없을 때 당신은 어떤 식으로 반응해 왔나요?

- 회피는 여러 방식으로 드러나는 감정을 다루기 위한 전략입니다. 이 중 몇몇 방식은, 텔레비전을 시청하거나 다른 사람들과 어울리지 않는 것인데, 둘 다 걷잡을 수 없는 감정을 다루는 데 도움이 안 되는 것들입니다. 감정의 기저에는 불편한 감정이 그대로 남아 있습니다. 문제를 다룰 때는 주도적으로 임하는 것이 중요합니다. 당신은 도움이 되는 전략을 사용해 왔나요, 아니면 해가 되는 전략을 사용해 왔나요?

# 당신의 이야기를 다시 만들어 보세요.

**효과 :**

의사 결정 및 대처 능력 발달

**실습 시간 :**

55분

**재료 :**

일기장

펜

이야기를 개작(改作)하는 것은 감정 조절 능력을 키워줍니다. 충격적인 사건을 되돌아보는 것은 감정적인 거리를 두고 그 기억을 처리할 수 있게 합니다. 트라우마를 겪은 많은 이들은 사건을 단편적으로 기억합니다. 파편화된 이야기들을 맞춰 나가는 것은, 뇌가 그 기억을 마음속에서 통합하는 것을 돕습니다. 충격적인 사건과 그것의 영향력에 대해 많이 대화할수록 감정을 다루는 것이 더 수월해집니다.

**방법:**

1.  충격적인 사건을 떠올려 곰곰이 생각한 후, 글로 써 보세요.

2.  시각, 청각, 미각, 그리고 신체감각의 경험을 자세히 떠올려보세요. 기억이 다 나지 않는다면, 기억나는 것만 떠올려도 좋습니다. 만약 감정을 걷잡을 수 없거나 감정적인 폭발이 일어난다고 느껴지면, 당신의 <강점 방패>(p. 42)를 근처에 두어도 좋습니다.

3.  그 사건이 일어나던 중, 그리고 그 이후의 감정과 생각을 되새겨 보세요.

### 대화를 위한 질문들

*   그 사건을 경험하는 동안 무엇을 듣고, 말하고, 만졌나요? 어떤 생각이 들었나요? 어떤 감정이 느껴졌나요?

*   어떤 신체감각을 경험했나요?

*   그 경험으로 인해 당신의 인생은 어떻게 바뀌었나요? 당신의 감정에 대처하기 위해 어떤 도구를 활용하고 있나요?

# 감정을 담은 시

효과 :

창의적 표현,
인지 및 감정 조절 향상

실습 시간:
30분

재료 :

잡지
가위
그릇
풀
일기장

이야기의 치유력은 초기 이집트인들이 파피루스에 글을 써서 물에 녹인 뒤 환자에게 약으로 주면서부터 알려져 왔습니다. 시(詩)는 감정을 표현할 수 있는 출구가 되어 줍니다. 이 실습은 숨겨진 감정을 표면으로 드러내 탐색하고 치유하는 데 도움이 됩니다. 이는 문제해결 능력을 높여주는 재미있는 기법입니다.

**방법:**

1. 잡지에서 최소 10개의 단어(명사, 동사, 형용사)를 찾은 다음 그 단어들을 오려 주세요.

2. 그 10개의 단어를 그릇에 담아 당신이 읽을 수 없게 해주세요.

3. 그릇에서 5개의 단어를 꺼냅니다.

4. 일기장의 각 줄에 단어를 하나씩 붙인 다음, 그 단어를 사용해서 시를 써 보세요.

**대화를 위한 질문들**

- 어떤 느낌의 단어들이 와닿았나요?

- 그 시는 당신의 삶과 어떤 연관이 있나요?

- 당신의 시를 나누고 싶은 사람은 누구인가요?

# 글자 만다라

**효과 :**

대처 능력과 감정 조절 발달

**실습 시간:**
30분

**재료:**

잡지
가위
풀
일기장
색연필

불교에서 만다라는 우주를 나타내는 기하학적인 형상을 말합니다. 만다라는 원(circle)을 의미하므로, 당신이 말하는 것들을 원 모양으로 배열하게 될 입니다. 말에는 힘과 감정이 담겨 있습니다. 작품을 만들 때, 무언가 내면을 일깨우는 말을 찾아보세요. 이 실습은 명료함을 찾아내고 감정을 확인하는 데 도움이 됩니다. 자신의 감정을 알면 감정을 다루기가 더 수월해집니다.

## 방법:

1. 잡지에서 느낌과 감정을 의미하는 단어들을 오려 주세요.
2. 당신의 마음을 울리는 단어들을 고릅니다.
3. 고른 단어들을 원 모양으로 일기장에 붙여 주세요.
4. 색연필을 사용하여 만다라를 장식하고 색칠해 보세요.

## 대화를 위한 질문들

- 왜 그 단어들을 선택했나요?
- 현재 느끼는 감정에 대해 어떻게 대처하고 있나요?
- 끌어들이고 싶은 감정은 어떻게 키울 수 있을까요?

# 명확해지기

**효과 :**

욕구 인지, 자기 인식 발달 및
대처 능력 향상

**실습 시간 :**
20분

**재료 :**

일기장
펜

당신이 인생에서 정말 소중하게 여기는 것이 무엇인지 시간을 갖고 생각해 보세요. 가족과 친구들과 시간 보내기를 즐기나요? 혼자 지내고, 일하고, 잘 먹고, 몸조리를 하고, 돈 관리를 하거나 재미있게 노는 것을 좋아하나요? 글쓰기 방식을 통해 당신의 감정과 당신에게 중요한 것을 찾아보세요. 제 내담자의 많은 경우는 자신에게 가장 중요한 일에 시간을 투자하지 않아, 성취감을 느끼지 못하곤 합니다. 이 실습은 당신에게 중요한 것이 무엇인지를 확인하는 데 도움이 됩니다.

**방법:**

1. 문장완성을 위해 아래와 같이 여러 문장을 일기장에 적어 봅시다:

   - 나는 ... 을(를) 원한다.
   - 나는 ... 이(가) 필요하다.
   - 나는 ... 을(를) 소망한다.
   - 나는 ... 을(를) 기대한다.
   - 나는 ... 이(가) 두렵다.
   - 나는 ... 을(를) 바란다.
   - 나는 ... 다.
   - 나는 ... 을(를) 사랑한다.

2. 당신이 쓴 것을 다시 보면서 자신에게 중요하다고 여기는 것에 동그라미를 치세요.

**대화를 위한 질문들**

- 어떻게 하면 시간을 균형 있게 보내면서 원하는 것을 다 할 수 있을까요?
- 당신이 완성한 문장에서 놀란 점이 있나요?
- 가장 감정을 일깨운 문장은 무엇인가요?

# 과거의 인생 곡선

당신의 과거를 이해하는 것은 현재 삶의 문제에 대한 통찰력을 제공합니다. 예를 들어, 특정 감정이 계속 올라올 때, 그 감정이 삶의 다른 영역들에서는 어땠는지 비교하는 것은 치유에 도움이 됩니다. 만약 과거로 돌아가 더 어린 당신에게 이야기할 수 있다면, 어떤 말을 건넬 건가요? 이 실습에서는 비우세 손을 사용하여 과거의 자신에게 글을 쓸 것입니다. 과거를 돌아보다 보면, 당신이 앞으로 나가는 데 방해가 되는 불필요한 짐을 지고 있다는 것을 알게 될지도 모릅니다.

## 방법:

1. 일기장의 한 페이지에 교차 선을 그려 연대표를 만듭니다.

2. 선 위에는, 출생부터 시작해서 유년기와 청소년기를 거쳐 현재에 이르기까지의 날짜 개요를 만들어 주세요.

3. 축하받은 일, 상 받은 것, 행복한 시간, 그리고 슬픈 시간처럼 당신의 인생에서 중요한 사건들을 적어 보세요.

4. 중요한 사람과 중요한 관계도 포함됩니다.

5. 일기장의 다음 페이지에는 아래에 있는 '대화를 위한 질문들'에 대한 답을 해봅시다.

## 대화를 위한 질문들

- 당신은 특정 사건들에 대해 어떻게 대응했나요?
- 오랫동안 각인된 어떤 특정한 사건이 있나요?
- 연대표를 보면서 자신에 대해 무엇을 알게 되었나요?
- 지금 사람들과의 관계를 방해하는 어떤 분노가 있나요?

# 다음 단계를 위한 최고의 선택

**효과:**

문제해결 및 의사 결정 지원


**실습 시간:**
30분


**재료:**

일기장
펜

문제를 파악한 후 해결 가능한 대응 시나리오를 탐색하는 것은 하나의 상황을 다양한 관점으로 보게 합니다. 다양한 결과를 살펴보는 것도 해결책을 찾는 데 도움이 될 수 있습니다. 불안하고 투쟁-도피 반응 상태일 때, 뇌는 건강한 문제해결 영역에서 반응하지 못하고 공포의 영역에서 반응하게 됩니다. 이럴 때는 우선 마음을 좀 가라앉힐 필요가 있습니다. 마음이 차분해지고 나면, 문제를 해결하기 위해 다양한 시나리오를 세워볼 수 있습니다.

**방법:**

1. 당신이 현재 겪고 있는 문제를 파악합니다.

2. 그 문제에 대한 세 가지 해결책을 적어 보세요.

3. 각 해결책에 대한 장단점을 적습니다.

4. 각 해결책이 가져올 결과에 대해 여러 방면으로 생각해 봅시다.

5. 각 시나리오에 대해 당신이 어떻게 느낄지를 고려합니다.

6. 해결책을 검토한 다음, 가장 좋은 옵션을 선택합니다.

7. 이 글쓰기 실습은 그림으로도 대체 가능합니다. 창의력을 발휘하여 실습 과정을 즐겨 보세요.


**대화를 위한 질문들**

- 어떤 방식으로 가장 좋은 해결책을 선택했나요? 논리에 의해서 인가요, 직감에 의해서인가요, 아니면 둘 다인가요?

- 문제해결을 위해 전략을 세운 기분이 어땠나요?

# 자기암시

**효과:**

자기 인식 창조, 긍정적 사고
함양 및 문제해결 능력 형성

**실습 시간:**
20분

**재료:**

일기장
펜

부정적인 자기암시는 우울증을 유발합니다. 이 습성을 깨닫게 되면, 부정적인 말을 더 긍정적인 말로 대체하는 방법을 배울 수 있습니다. 인생에서 간절하게 원하는 무언가가 있나요? 원하는 것을 얻는 것에 대해 부정적인 생각 또는 믿음을 갖고 있나요? 제 내담자 중 한 명의 경우, 그녀가 지닌 부정적인 생각이 삶의 다른 영역으로 스며드는 것을 저는 봐왔습니다. 그녀는 자신이 괜찮지 않다고 계속해서 자신에게 말했습니다. 이것은 일, 가정, 그리고 자신과의 관계에 영향을 미쳤습니다. 그녀가 이런 패턴을 깨닫고 나서 도움이 될만한 내적 대화로 바꾸자, 삶과 관계에 대한 그녀의 관점이 바뀌기 시작했습니다. 당신도 그렇게 될 것입니다.

**방법:**

1. 나에게 부정적인 자기 진술이나 자기 사고가 있는지 확인하고, 그것을 일기에 적어 보세요.

2. 적은 것과 반대되는 말도 적습니다. 예를 들어, "나는 내가 싫어."라는 말은 "나는 나를 사랑해."가 될 것입니다.

3. 당신에게 있을지도 모를 부정적인 자기 사고를 위해 이 실습을 반복합니다.

**대화를 위한 질문들**

- 하루에 얼마나 많은 부정적인 자기암시를 하는지 알아챈 적이 있나요?

- 이제 당신의 생각을 글로 적어 목록화했다면, 그것을 일주일 후에 다시 확인해 보세요. 생각이 바뀐 것이 있나요?

# 당신의 잔을 채우세요

**효과 :**

자아 존중감, 자기 인식 및
대처 능력 발달

**실습 시간:**
30분

**재료 :**

일기장
펜

자기관리를 두고 흔히 목욕이나 이발처럼 우리 신체를 관리하는 것으로 생각합니다. 네, 물론 이러한 활동들도 기분을 좋게 하지만, 내면의 자아를 기르는 것도 그만큼 중요합니다. 우리 사회는 앞만 보고 달리고, 쌓인 일들과 씨름하고, 끊임없이 동시다발적으로 일하는 문화로 몰리고 있습니다. 이 실습은 속도를 늦추는 데 집중하게끔 도울 것입니다. 사실, 이 책을 읽음으로써 당신은 이미 올바른 방향으로 나아가고 있습니다! 당신의 빈 잔을 어떻게 채우시겠어요? 자신을 먼저 채워야 다른 사람들에게 더 많은 것을 줄 수 있습니다. 당신의 컵이 가득 찼다는 것은, 나눌 것이 더 많다는 것입니다.

**방법:**

1. 일기장에 큰 컵을 하나 그리세요.

2. 컵 안에 자기 관리를 위한 활동들을 적어 보세요. 온종일 기분을 좋게 하는 활동들도 포함합니다. 예를 들어, 차 한 잔을 즐기고, 목욕하고, 물감을 가지고 놀고, 치료사와의 상담을 예약하고, 목표를 검토하고, 당신을 위한 꽃을 사거나, 산책하기 등이 있습니다.

### 대화를 위한 질문들

- 잘 자라려면 영양분을 섭취해야 합니다. 당신은 자신을 어떻게 돌보고 있나요?

- 놀기, 휴식하기, 그리고 현재를 즐기는 시간을 보내나요?

- 당신이 계획하고 있는 첫 번째 자기 양육 활동은 무엇인가요? 계획을 세워보세요!

# 강점 수용하기

**효과:**

자아 존중감과 자기 인식 형성

**실습 시간:**
20분

**재료:**

일기장
펜

누구나 살면서 독특한 경험을 합니다. 그 경험에는 대개 당신의 강점 중 하나 또는 그 이상이 포함되므로 당신에게는 유일무이한 것들입니다. 한번은 제가 4인승 비행기에 앉아 캘리포니아 상공을 날은 적이 있습니다. 정말 짜릿한 경험이었지요. 저는 모험에 있어서 개방적이기 때문에 여러분과의 이 만남도 가질 수 있었던 겁니다. 이 실습의 목표는 당신의 마음을 긍정적인 모드로 다시 프로그래밍하는 것입니다. 당신이 겪었던 놀라운 경험이 하나의 모험이었는지 아니면 기회였는지 생각해 보세요. 특별한 일들을 경험했다는 것을 아는 것은, 삶이 많은 것을 준다는 것을 당신에게 알려줍니다!

**방법:**

1. 당신이 겪은 놀라운 경험 하나를 일기에 적어 보세요.

2. 다음으로, 당신이 지닌 모든 긍정적인 자질들을 목록으로 만들어 보세요. 다음은 긍정적인 자질의 몇 가지 예입니다:

   - 공감적인
   - 강인한
   - 창의적인
   - 신뢰할 수 있는
   - 의지가 되는
   - 정직한

3. 만약 잘 떠오르지 않는다면, 몇몇 친구들에게 가서 그들이 보는 당신의 자질이 어떤지 물어보세요.

4. 향후 당신에게 도전 의식을 발휘할 기회가 온다면, 당신의 긍정적인 자질을 다시 찾아보세요.

## 대화를 위한 질문들

- 이 경험과 당신의 재능 사이에는 연관성이 있나요?

- 오늘의 자신을 축하해 주세요. 당신이 자신을 특별하게 만드는 게 어때요?

# 마음 속에 그려 보세요

**효과:**

목표 설정 장려

**실습 시간:**

30분

**재료:**

일기장

펜

심상은 긍정적인 경험을 떠오르게 하는 강력한 도구입니다. 우리는 심상을 통해 목표를 설정하고 현실이라고 상상하게끔 뇌를 훈련할 수 있습니다. 심상은 종종 운동선수들과 경영진이 사용하는 방법으로, 미래의 성공을 현실이라고 믿게끔 그들의 뇌가 처리할 수 있습니다. 당신이 인생에서 정말로 원하는 것은 무엇인가요? 당신이 갈구하는 삶과 받을 만한 가치가 있는 삶을 창조할 자유를 누리려면 꿈을 크게 가지세요.

**방법:**

1. 조용하고 편안하게 앉을 수 있는 장소를 찾습니다.
2. 눈을 감으세요.
3. 잠시 시간을 내어 이상적인 하루를 마음속에 떠올려보세요. 당신이 잠에서 깬 순간을 시작으로 하루의 모든 상세한 것들까지 포함해서 떠올립니다.
4. 당신의 상상에 맡겨보세요. 이상적인 날에 경험하고 싶은 특정한 감정들을 내가 고를 수도 있습니다.
5. 심상 떠올리기를 마쳤으면, 모든 세부 사항들을 일기장에 적어 놓습니다.

### 대화를 위한 질문들

- 어떤 감정을 경험했나요?
- 당신이 상상한 것을 지금의 삶에 어떻게 적용할 수 있을까요?

# 내면 아이

**효과:**

감정 조절과 대처 능력 발달

**실습 시간:**
30분

**재료:**

일기장
펜

당신의 내면 아이와 연결되는 시간을 가져 봅시다. 당신은 어렸을 적에 어디에 살았고 누구와 시간을 보냈는지 생각해 보세요. 내면 아이와의 연결은 당신에게 자유로움을 주고 어른으로서 느끼는 스트레스를 줄여 줍니다. 내야 할 어떤 청구서도 없는 아이를 생각해 보세요. 그들의 유일한 의무는 학교에 가서 재미있게 노는 것뿐입니다. 하지만 모든 이들의 어린 시절이 즐겁고 편한 것만은 아닙니다. 당신의 내면 아이는 놀 기회가 없었는지도 모릅니다. 이 실습에서는 10대 초반의 자신을 만나 인정해 주고 치유해 줄 것입니다.

**방법:**

1. 10대 초반의 자신을 떠올려보세요. 어떤 옷을 입고 싶었나요? 누구를 흉내 내고 싶었나요? 가장 좋아했던 일은 무엇이었나요, 먹는 거였나요, 노는 거였나요?

2. 지금 8살이 된 자신에게 비우세 손을 사용하여 편지를 써 보세요. 어른이 된 자신에게 어떤 말을 해주고 싶나요?

## 대화를 위한 질문들

- 당신의 내면 아이가 당신에게 해주고 싶은 말은 무엇일까요?
- 당신은 성인이 된 자신에게 놀 시간을 주고 있나요?
- 만약 당신의 내면 아이에게 치유가 필요하다면, 무엇을 경험하고 싶은가요?

# 나는 . . .에 감사합니다

**효과 :**

대처 능력 향상


**실습 시간:**
20분


**재료 :**

일기장
펜
여러 가지 색의 마커

감사는 더 큰 행복과 밀접하게 연결됩니다. 감사는 마음가짐을 바꾸고 사람들이 더 긍정적인 감정을 느끼게 합니다. 긍정적인 감정은 더 충만한 삶을 만들어냅니다. 당신은 심지어 커피 한 잔이나 다정한 미소처럼 사소한 것에서도 감사를 느낄 수 있습니다. 감사함을 실천함으로써 당신의 마음은 온종일 감사할 것들을 찾기 시작할 테고, 이런 식으로 삶은 더 풍요로워질 것입니다. 이 실습은 매일 하는 것이 가장 좋습니다.

## 방법:

1. 일기에 "나는 ...에 대해 감사합니다."라고 쓴 다음, 그 주위에 큰 원을 하나 그리세요.

2. 원 안에는, 당신이 감사한 사람들, 감사한 장소, 그리고 감사한 일들을 넣습니다.

3. 마커를 사용하여 색을 입혀 줍니다.

## 대화를 위한 질문들

- 당신의 삶이 충분히 지지받고 있다고 느끼나요?

- 오늘 가장 감사한 것은 무엇인가요?

# Chapter Six

# 콜라주

콜라주에는 다양한 재료가 있습니다. 콜라주는 원하는 구성을 만들기 위해 이미지를 분류하고, 오리고, 붙이고, 조합하는 작업입니다. 각 예술 경험은 삶의 다양한 영역에 대한 통찰력을 얻는 데 도움이 될 것입니다.

# 라이프북

**효과 :**

창의적 표현 활성화 및
목표 인지

**준비 시간:**
5분

**실습 시간:**
페이지 당 45분

**재료 :**

오래되고 두꺼운 책의 표지

잡지

가위

풀

<라이프북>은 당신의 삶에 대한 전반적인 개요를 제공합니다. 이 책을 개인 일기장으로 사용하세요. 페이지마다 당신이 이루고 싶은 목표가 있을 것입니다. <라이프북>은 자기 삶을 스스로 설계하게 합니다. 페이지마다 정성을 기울여 주세요. 아이디어를 얻기 위해 <명확해지기>(p. 111)에서 당신의 가치를 확인하는 것도 좋겠습니다. 필요할 때마다 책의 페이지를 자주 채우면 이 활동을 끝낼 수 있습니다. 오늘 시간을 내어 한 페이지를 작업해 보세요.

**방법:**

1. 다른 용도로 활용가능한 낡은 커버의 책을 찾아보세요. 콜라주 작업을 위해 이 책 안에 뭔가를 적고 붙일 것입니다.

2. 당신의 인생에서 무엇을 가치 있게 여기고 어떻게 시간을 어떻게 보내고 싶은지 생각해 보세요. 책의 두꺼운 표지에서부터 삶의 영역, 즉 신체적, 영적, 정신적, 재정적, 그리고 관계적 영역(가족, 부모, 우정, 파트너)에 이르는 페이지 중 적어도 한 페이지에 전념해 보세요. 각 페이지의 상단에는 삶의 한 영역을 적습니다.

3. 당신이 원하는 삶에 어울리는 단어들과 이미지들을 잡지에서 오려 주세요.

4. 이 단어들과 이미지들을 책 안의 페이지에 붙입니다.

**대화를 위한 질문들**

- 당신의 삶에 무엇을 가져오고 싶은지 찾아냈나요?
- 인생을 설계하는 동안 어떤 감정이 올라왔나요?

# 인생 목표 콜라주

**효과 :**

목표 인지

**실습 시간:**

1시간

**재료 :**

중량감이 있는 2절 도화지 한 장

그림용 연필

잡지

가위

풀

삶에서 무엇을 개선하고 싶은지 아는 것은 중요합니다. <인생 목표 콜라주>를 통해 당신이 원하는 것을 삶에 가져오기 위한 여정을 떠날 수 있습니다. 당신이 원하는 것은 무엇인가요? 관계, 마음가짐, 또는 당신의 감정을 개선하고 싶나요? 당신이 원하는 바를 명확하게 아는 것은 목표 달성을 위한 첫걸음이 됩니다.

**방법:**

1. 종이를 똑같이 세 칸으로 나누세요.
2. 칸마다 당신이 하고 싶은 것을 하나씩 적어 보세요. 예를 들어 첫 번째 칸은 가족이 될 수도 있고, 두 번째 칸은 사회생활이 될 수도 있으며, 세 번째 칸은 일이 될 수도 있습니다.
3. 전념하고 싶은 세 가지 목표를 골라 칸마다 적어 주세요.
4. 이러한 목표를 보여주는 이미지들을 잡지에서 오려 줍니다.
5. 작성한 목표의 시각적 요소를 위해, 오려 낸 이미지들을 종이의 적절한 부분에 붙여 줍니다.

**대화를 위한 질문들**

- 콜라주에서 무엇이 떠오르나요?
- 당신이 정한 삶의 목표 중 하나를 이루려면, 오늘 어떻게 한 발짝을 내디디면 될까요?

# 삶을 비추는 콜라주

**효과 :**

감정 조절 향상

**실습 시간:**
50분

**재료 :**

잡지

가위

풀

중량감이 있는 2절 도화지 한 장

<삶을 비추는 콜라주>는 당신이 경험하고 있는 그 순간을 기릴 수 있게 합니다. 당신의 현재 감정을 보여주는 이미지를 선택하세요. 일종의 무드보드라고 보면 됩니다. 현재의 감정을 수용하는 것은 그 감정을 실제로 경험하고 보내주는 하나의 방법입니다. 당신의 현재 기분을 표현하는 사물, 장소, 그리고 색깔을 찾아보세요. 각 항목이 어디에 배치되는지 그리고 어떻게 상호 작용하는지를 창의적으로 만들어 보세요.

**방법:**

1. 오늘의 기분에 어울리는 제목을 잡지에서 찾아보세요. 찾은 제목을 오립니다.

2. 오늘 당신의 마음을 울리는 다른 단어들을 찾아서 오려 줍니다.

3. 오늘 당신의 삶을 비추는 사진을 찾아서 오려 줍니다.

4. 오려낸 이미지들을 도화지에 붙입니다.

**대화를 위한 질문들**

- 현재 당신의 인생 경험을 만들면서 어떤 감정이 떠올랐나요?

- 전반적인 색상의 주제가 있나요?

- 이 작품은 당신에게 어떤 메시지를 주나요?

# 불안을 위한 콜라주

**효과 :**

감정 표현, 감정 조절 향상 및
불안 감소

**실습 시간 :**

1시간

**재료 :**

잡지

가위

풀

중량감이 있는 2절 도화지 한 장

여러 가지 색의 마커

누구나 어느 정도의 불안을 경험합니다. 불안은 더 이상 통제할 수 없다고 느껴지고 끝없이 걱정될 때 문제가 됩니다. 이 실습에서는 불안을 유발하는 모든 경험을 탐색하게 될 것입니다. 감정을 완화하기 위해서는 무엇이 감정을 자극하는지 알 필요가 있습니다.

**방법 :**

1. 불안감을 유발하는 잡지 이미지를 찾아서 오려 주세요.

2. 오려낸 이미지들을 도화지에 붙여 주세요.

3. 그 이미지 및 상황과 관련된 당신의 생각을 마커로 적어 봅시다.

4. 콜라주에 이름을 지어 주세요. 당신의 불안감을 완화할 수 있는 대처 능력을 생각해 봅시다.

5. 콜라주를 다 완성한 후에는 자신과 더 밀접해지기 위해 <치유의 상징들>(p. 33)을 그리는 것이 도움 될 것입니다.

**대화를 위한 질문들**

- 당신을 불안하게 만드는 장소는 어디인가요?

- 콜라주를 볼 때 신체에서 어떤 감정이 일어나나요?

- 당신이 걱정하는 것과 당신을 통제하는 것을 흘려보내고 싶은가요?

# 습자지 콜라주

**효과 :**

이완 촉진 및
문제해결 능력 향상


**실습 시간:**
50분


**재료 :**

다양한 색의 습자지
액상 접착제
그릇
물
붓

중량감이 있는 2절 도화지 한 장

<습자지 콜라주>는 풍부한 표현력을 보여주는 작업입니다. 이 작업은 어떤 의도나 방향성 없이 바로 시작합니다. 작업이 펼쳐지는 대로 자신을 내맡기고 놀아보세요. 당신의 마음을 울리는 색을 사용하여 추상적인 형태를 만들어 보세요. 작은 색 조각들을 스테인드글라스처럼 보이도록 함께 배치하는 것은 하나의 명상이 됩니다.

## 방법:

1. 다양한 색의 습자지들을 잘게 찢어 주세요.

2. 소량의 물이 담긴 그릇에 액상 접착제를 부어줍니다. 붓을 사용하여 접착제와 물을 섞어 주세요. 농도가 진해야 하지만, 혼합물이 잘 안 섞이면 필요에 따라 물을 조금씩 더 넣어 줍니다.

3. 색 습자지를 도화지에 올려 도안을 만들어 봅시다.

4. 접착제가 섞인 혼합물에 붓을 담근 후 습자지 위를 부드럽게 칠하여 습자지 조각이 도화지에 붙게 합니다.

## 대화를 위한 질문들

- 콜라주에서 모양, 물건 또는 형태가 보이나요? 만약 보인다면, 그것이 당신에게 주는 의미는 무엇인가요?

- 무슨 색의 습자지를 사용했나요? 그 색들을 고른 이유는 무엇인가요?

- 어떤 감정이 떠올랐나요?

# 내면과 외면에 대한 콜라주

**효과:**

자기 인식 성장

**실습 시간:**

1시간

**재료:**

잡지

가위

중량감이 있는 2절 도화지 한 장

풀

자기 인식은 자신의 성격, 감정, 동기, 욕구에 대한 의식적인 이해를 의미합니다. 매우 분명한 것은 자기 내면에서 느끼는 것을 다른 사람들과 나눌 수 있다는 것입니다. 이 실습에서는 당신의 내면에 있는 감정 상태를 시각적으로 표현하고 그것이 다른 사람들이 당신에 대해 알고 있는 것과 일치하는지 살펴볼 것입니다. 당신은 속으로는 슬프면서 겉으로는 웃으며 지내나요? 다른 사람들에게 당신의 진짜 모습을 보여주나요? 당신의 내면과 외면을 살펴보는 것은, 억누르고 있는 감정 그리고 당신의 인생에서 사람들과 공유하고 있는 감정을 조망하게 할 것입니다.

**방법:**

1. 감정과 연관된 단어와 이미지를 잡지에서 오립니다. 예를 들어, 행복, 기쁨, 슬픔, 무관심, 지루함, 화남, 격노, 좌절, 사랑, 충격, 불안, 그리고 혐오의 이미지를 찾아보세요.

2. 도화지를 반으로 나눕니다.

3. 도화지의 한 면에는 당신을 억누르는 감정의 단어들과 이미지들을 배치합니다.

4. 도화지의 다른 면에는, 당신이 다른 사람들과 공유하는 감정의 단어들과 이미지들을 배치합니다.

### 대화를 위한 질문들

- 당신의 감정과 다른 사람들과 공유하는 감정 간에는 어떤 연관성이 있나요?

- 당신의 상처를 다른 이들에게도 말할 수 있나요?

- 당신은 오직 몇몇 사람들하고만 감정을 나누는 편인가요?

# 나를 보여주는 콜라주

**효과 :**

자기 인식 향상과 강점 인지


**실습 시간:**

1시간


**재료 :**

잡지

가위

여러 가지 색의 마커

풀

중량감이 있는 2절 도화지 한 장

당신이 갖고 싶은 강점을 생각해 보세요. 더 대담해지고 싶고, 더 모험적이었으면 하고, 더 건강해지고 싶은가요? 이 실습에서는 이러한 요소들을 자화상에서 통합할 것입니다. 제 내담자 중 한 명은 자화상을 통해 매력적이고 대담하고 맹렬한 자기 자신을 만들었습니다. 이러한 에너지가 그녀의 삶에 드러나지 않는다는 것을 이후에 깨닫긴 했지만, 그녀에게는 자화상에서 만든 그녀의 강점을 살리고 싶은 열망이 컸습니다. 그래서 자신의 사업에 더 많이 참여하고 신뢰를 얻기 위해 더욱 솔선수범했습니다.

**방법:**

1. 당신이 원하는 자아상을 보여주는 인물을 잡지에서 오려 주세요.

2. 마커를 사용하여 자기 모습(눈 색깔, 코, 옷)과 닮도록 개인적인 특징들을 바꿔줍니다.

3. 그 인물을 도화지에 붙여 주세요.

4. 배경에 표현하고 싶은 것이 있으면 설명 문구를 더 넣어 줍니다.

5. 콜라주에 다채로운 테두리를 더한 후 작업을 마무리하면 됩니다.


### 대화를 위한 질문들

- 콜라주로 작업하고 싶은 당신의 강점은 무엇인가요?

- 자신에 대해 수용한 것은 무엇인가요?

- 이 작업을 하면서 어떤 감정을 느꼈나요?

- 새롭게 인식한 것을 당신의 삶에 어떻게 적용하면 될까요?

# 안전한 장소를 위한 콜라주

**효과 :**

대처 능력과
의사결정 능력 향상

**실습 시간:**
1시간

**재료 :**

잡지
가위
풀
중량감이 있는 2절 도화지 한 장

이 콜라주는 일종의 안전을 위한 도안으로 생각할 수 있습니다. 또한 감정 조절을 위한 도구로 사용할 수도 있습니다. 감정을 걷잡을 수 없을 때는 <안전한 장소를 위한 콜라주>를 바라보며 마음을 가라앉히고 불안을 완화해 보세요.

**방법:**

1. 휴식의 느낌을 주는 이미지를 잡지에서 고릅니다. 자기 관리를 실천하기 위한 이미지를 골라도 좋습니다.

2. 잡지에서 오린 이미지들을 도화지에 풀로 붙여 주세요.

3. 불안하거나 우울할 때마다 볼 수 있도록 콜라주를 걸어둡니다.

**대화를 위한 질문들**

● 안전하다고 느낄 수 있도록 콜라주 이미지에 더 추가하고 싶은 것들이 있나요?

● 콜라주에 당신을 보호하는 장벽, 울타리, 또는 벽이 있나요? 만약 있다면, 이 이미지들은 무엇을 상징하나요?

● 어떻게 당신의 오감을 모두 활용하여 당신의 안전한 장소를 설명하면 될까요?

**집단 치료에서는** 만약 집단으로 이 작업을 완성할 거라면, 모두 모여 콜라주 작업을 하기 전에, 잡지 이미지를 미리 오려놓아도 좋습니다.

# 아코디언 북 콜라주

**효과 :**

대처 능력과
목표설정 능력 발달

**실습 시간:**
1시간

**재료 :**

2절 도화지 한 장
테이프
잡지
가위
풀
물감
붓
물 한 컵

<아코디언 북 콜라주> 만들기는 원하는 목표를 이루기 위해 바꿀 수 있는 삶의 영역을 분명하게 해줍니다. 목표 달성을 위해 방향을 제시해 줄 단어 하나씩을 각각의 콜라주마다 골라 주세요. 요즘 제가 좋아하는 단어는 '눈부신(*effulgent*)'으로, 밝게 빛난다는 의미를 담고 있습니다. 당신이 만드는 아코디언 북의 주제는 당신의 목표와 연결되어야 합니다. 만드는 의도와 연결되는 이미지를 골라 보세요.

**방법:**

1. 도화지 두 장을 테이프로 연결한 다음, 네 개의 패널이 되게끔 앞뒤로 움직여 가며 수평으로 접어줍니다.

2. 당신이 끌리는 이미지와 삶에 들이고 싶은 이미지를 잡지에서 찾아보세요.

3. 아코디언 북의 주제를 위한 단어를 하나 고르세요. 주제의 의도와 연결되는 이미지를 오려 줍니다.

4. 오린 이미지들은 아코디언 북의 페이지들에 붙여 주세요. 북의 앞면과 뒷면도 활용할 수 있습니다.

5. 물감으로 하얀 여백을 채워주고 아코디언 북을 장식합니다.

**대화를 위한 질문들**

- 콜라주로 만든 것 중 당신이 성취할 수 있는 목표와 일치하는 것은 무엇인가요?

- 어떤 단어를 골랐나요? 이 단어를 삶에 적용하기 위해 무엇을 실천할 수 있을까요?

# 두려움을 위한 콜라주

정신적으로 큰 충격을 받은 사건을 다루거나 우울감을 느끼는 동안, 두려움은 자기 관리를 실천하지 못하게 할 것입니다. 두려움은 걷잡을 수 없게 되거나, 당신이 앞으로 나아가는 것을 멈추게 할 수도 있습니다. 어떤 두려움은 당신이 다치지 않게 하므로 좋은 점도 있습니다. 하지만 어떤 두려움은 앞으로 나아가는 삶을 멈추게 하는 망상이기도 합니다. 이 실습은 당신이 느끼는 두려움이 무엇인지 확인하고 그 두려움에 대한 당신의 감정을 조절하는 데 도움이 됩니다.

## 방법:

1. 당신이 행복해지는 것을 방해하거나 목표를 달성하는 것을 방해하는 세 가지 두려움을 10분간 생각해 봅시다.

2. 당신의 두려움을 나타내는 이미지들을 잡지에서 골라 주세요.

3. 그 이미지들을 오려 도화지에 붙입니다.

4. 세 가지 두려움이 모두 표현되었으면, 두려움을 나타내는 물감 색을 골라 콜라주에 칠해 주세요.

## 대화를 위한 질문들

- 당신의 두려움은 물리적인 위협에 근거하나요, 아니면 심리적인 위협에 근거하나요?

- 당신의 두려움을 해결할 긍정적인 자기 진술 중 떠오르는 게 있나요?

# 욕구를 위한 콜라주

**효과 :**

정서적 욕구 인지와
의사 결정력 향상

**실습 시간:**
1시간

**재료 :**

중량감이 있는 2절 도화지 한 장
여러 가지 색의 마커
컴퓨터
프린터
가위
풀

우리에게는 모두 양육에 대한 기본적인 욕구가 있습니다. 이 콜라주는 어떤 욕구가 해결되고 있고 어떤 욕구에 주의를 기울여야 하는지를 알 수 있는 하나의 틀을 제공합니다. 만약 당신의 욕구가 아직 충족되지 않았다면, 균형감을 잃거나 삶에서 무언가를 놓치고 있다고 느껴질 것입니다. 각자의 욕구를 알고 해결할 수 있을 때 더 나은 선택을 할 수 있습니다. 만일 특정 영역에 주의를 기울일 필요가 있다면, 며칠 내로 시간을 내어 이 영역에 에너지를 쏟아 주세요.

**방법:**

1. 도화지를 일곱 개의 칸으로 나눠 주세요.

2. 각 칸을 다음과 같은 범주로 분류합니다:

   - 안전 욕구(심리적이고 물리적인 위해로부터의 정당한 보호)
   - 신체적 욕구(음식, 쉼터, 물)
   - 통제 욕구(상황에 대한 힘과 영향력)
   - 신뢰 욕구(좋은 관계)
   - 자아 존중감 욕구(자신에 대해 어떻게 느끼는지)
   - 나만의 즐거움에 대한 욕구(재미있는 일 하기)
   - 개인적 성장 욕구(영성과 공동체의 연결)

3. 각 범주를 나타내는 이미지를 인터넷에서 골라 봅시다.

4. 고른 이미지들을 인쇄합니다.

5. 이미지를 오린 후 해당하는 범주에 붙여 줍니다.

6. 자유롭게 창의력을 발휘하여 마커로 당신만의 도안을 해당 페이지
   에 넣어 줍니다.

## 대화를 위한 질문들

- 당신의 자기 관리 욕구는 균형을 이루고 있나요?

- 혹시 주의를 기울여야 할 영역이 있나요?

# 죄책감과 수치심을 위한 콜라주

**효과 :**

감정 배출

**실습 시간:**

1시간

**재료 :**

잡지

가위

풀

중량감이 있는 2절 도화지 한 장

여러 가지 색의 마커

수채화 물감

붓

물 한 컵

죄책감은 잘못에 대한 책임을 느끼는 것을 말합니다. 사과를 한다고 해도 그 느낌은 남을 수 있습니다. 심지어 수치심은 훨씬 더 고통스러운 굴욕감을 줍니다. 수치심은 사람들이 사랑, 우정, 또는 행복을 무가치한 것으로 여기게끔 합니다. 그것은 당신의 인생과 상관없는 것에 영향을 미칠 수 있으며, 고립, 부정직, 학대 행위, 알코올 중독, 또는 일 중독으로 이어질 수 있습니다. 수치심을 느끼는 많은 이들이 도움받는 것에 대해 너무 난처해하지만, 그 수치심이 언제부터 시작됐는지 파악하는 것은 중요합니다. 숙련된 치료사와 함께 작업에 대해 논의하는 것은 자신의 이야기를 공유하고 치유의 과정을 시작하는 데 도움이 됩니다.

**방법:**

1. 죄책감과 수치심을 나타내는 이미지를 잡지에서 고른 후 오려 주세요.

2. 선택한 이미지들을 도화지에 붙여 주세요.

3. 당신의 감정을 표현하는 단어들을 마커로 써 줍니다.

4. 수채화를 사용하여 콜라주에 색을 입혀 주세요.

**대화를 위한 질문들**

- 콜라주를 만들면서 어떤 감정이 들었나요?
- 자신을 포함한 다른 이들을 용서할 수 있었나요?
- 이 작업이 당신에게 주는 메시지는 무엇일까요?

# 머릿속에 있는 모든 것을 콜라주로 표현하기

**효과:**

대처 능력 발달, 감정 인지와 자기 인식 향상

**실습 시간:**

1시간

**재료:**

잡지

가위

풀

중량감이 있는 2절 도화지 한 장

여러 가지 색의 마커

가끔 자신이 얼마나 바쁘고 마음에 여유가 없는지 깨닫지 못할 때가 있습니다. 머릿속에 있던 생각들을 시각적으로 보여주는 작업은 당신의 마음속에 있던 것을 더 깊이 들여다보게 할 것입니다. 이 활동은 건강한 생각과 건강하지 않은 생각을 판단하기에 좋은 방법입니다.

**방법:**

1. 자신을 대표하는 이미지를 잡지에서 고른 후 오려 주세요.

2. 오린 이미지를 도화지에 붙입니다.

3. 머릿속의 생각을 나타내는 선과 도안을 이미지 주위에 마커로 그려 줍니다.

**대화를 위한 질문들**

- 당신은 주로 어떤 생각을 하며 시간을 보내나요?

- 당신에게 도움이 되지 않는 생각은 어떤 것인가요?

# "나는 ~입니다" 콜라주

당신의 모든 강점과 독창적인 자질을 확인하는 것은 놀라운 힘을 실어 줄 수 있습니다. 이 콜라주는 당신이 지닌 위대함에 다가가 당신을 유일무이한 존재로 만드는 모든 독창적인 것들을 깨닫게 할 것입니다. 저의 많은 내담자가 이 활동을 매우 좋아하는 이유는, 이 작업이 그들의 기분을 거의 바로 끌어올려 주기 때문입니다.

**방법:**

1. 도화지의 가운데에 '나는 ~ 입니다'라고 씁니다.

2. 당신의 모든 긍정적인 특징을 보여주는 단어들을 잡지에서 찾은 다음 오려 주세요.

3. '나는 ~입니다'라는 말에서 파생되는 단어들을 도화지에 붙입니다.

4. 자아 존중감을 높이려면, 당신이 자주 보는 곳에 이 이미지를 놓아 두세요.

**대화를 위한 질문들**

- 이런 모든 강점을 가진 기분이 어떤가요?

- 삶의 다른 영역에서는 이런 강점들을 어떻게 활용할 수 있을까요?

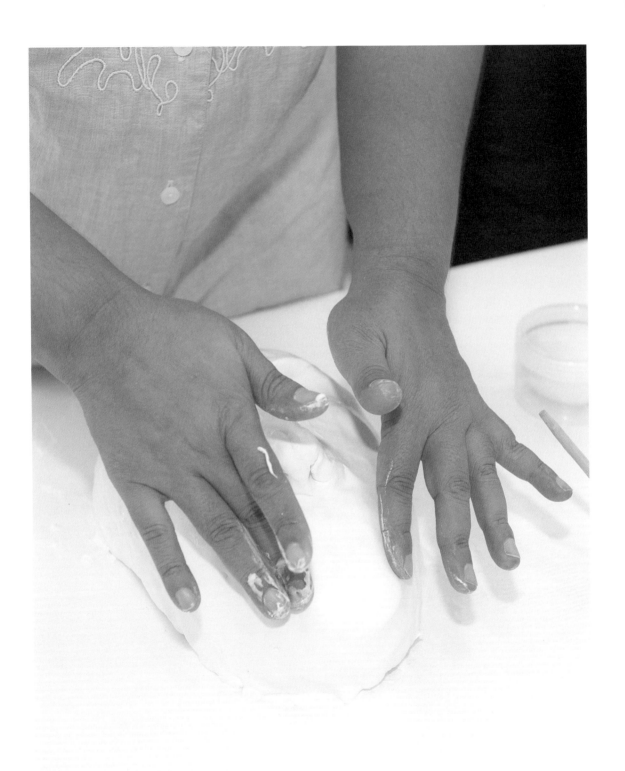

# 자료

**미술치료에 관한 더 많은 정보는 다음 사이트를 참조하세요:**

미국 미술치료협회(American Art Therapy Association):
www.arttherapy.org

저자의 웹사이트:
www.leahguzman.com

싸이콜로지 투데이(Psychology Today):
www.psychologytoday.com

**미술 재료는 다음 사이트를 참조하세요:**

블릭 미술 재료(Blick Art Materials):
www.dickblick.com

**국내 위기의 전화:**

**아동**
중앙아동보호전문기관: 112
중앙가정위탁지원센터: 1577-1406
해바라기아동센터: 02-3274-1375

**청소년**
청소년 사이버 상담센터: 1388
서울시 청소년상담지원센터: 02-2285-1318
청예단 학교폭력 SOS 지원단: 1588-9128
탁틴내일(성폭력·성 착취·디지털 성범죄 피해상담): 02-3141-6191
학교폭력 근절: 117

**여성**

여성긴급상담전화: 1366

한국여성상담센터: 02-953-2017

한국여성의전화: 02-2263-6464

**노인 · 장애인**

중앙노인보호전문기관: 02-3667-1389

한국노인의전화: 1644-9998

한국장애인재활협회: 02-3472-3556

한국여성장애인연합: 02-3675-4465

중앙장애인권익옹호기관: 1644-8295

**질병 · 중독**

스마트쉼센터: 1599-0075

금연콜센터: 1544-9030

국가암정보센터: 1577-8899

에이즈 상담센터: 1599-8105

한국마약퇴치운동본부: 1899-0893

한국도박문제관리센터: 1336

**가족**

한부모상담전화: 1644-6621

다누리콜센터: 1577-1366

건강가정지원센터: 1577-9337

**자살**

자살예방 상담전화(24시간): 1393

경찰청(자살 유발정보 신고): 112

정신건강 상담전화(24시간): 1577-0199

한국 생명의 전화(24시간): 1588-9191

한국자살예방협회: 02-413-0892

중앙자살예방센터: 02-2203-0053
희망의 전화: 129

## 성 소수자
한국게이인권운동단체 친구사이: 02-745-7942
행동하는성소수자인권연대: 02-715-9984
청소년 성소수자 위기지원센터 띵동: 02-924-1227

## 미국 내 위기의 전화:

미국 독극물 관리센터협회(American Association of Poison Control Centers):
1-800-222-1222

위기상황 문자(Crisis Text Line):
741-741로 "도움 요청"이라는 문자를 보내세요.

긴급(Emergency):
911

가족폭력 신고 전화(Family Violence Helpline):
1-800-996-6228

성소수자 긴급전화(GLBT Hotline):
1-888-843-4564

생명의 전화 위기의 문자-온라인 실시간 메시지
(Lifeline Crisis Chat-online live messaging):
https://suicidepreventionlifeline.org/chat/

알코올 중독 및 약물 의존 국가위원회 희망의 전화
(National Council on Alcoholism and Drug Dependence Hope Line):
1-800-622-2255

거식증 및 폭식증을 위한 위기의 전화
(National Crisis Line—Anorexia and Bulimia):
1-800-233-4357

위기의 전화(National Crisis Line):
1-800-999-9999

가정폭력 직통전화(National Domestic Violence Hotline):
1-800-799-7233

희망의 전화 네트워크(National Hopeline Network):
1-800-SUICIDE (800-784-2433)

자살 예방 생명의 전화(National Suicide Prevention Lifeline):
1-800-273-TALK (8255)

가족계획 직통전화(Planned Parenthood Hotline):
1-800-230-PLAN (7526)

자해 직통전화(Self-Harm Hotline):
1-800-DONT CUT (1-800-366-8288)

# 참조

Art Therapy Journal. "The History of Art Therapy." Accessed November 14, 2019. www.arttherapyjournal.org/art-therapy-history.html

GoodTherapy. "Art Therapy." Accessed November 14, 2019. www.goodtherapy.org/learn-about-therapy/types/art-therapy.

Kaimal, Girija, Kendra Ray, and Juan Muniz. "Reduction of Cortisol Levels and Participants' Responses Following Art Making." *Art Therapy* 33, 2 (2016): 74–80. www.ncbi.nlm.nih.gov/pmc/articles/PMC5004743/

National Institute of Mental Health. Accessed November 14, 2019. www.nimh.nih.gov/health/topics/depression/index.shtml

Rosal, Marcia L. *Cognitive-Behavioral Art Therapy*. New York: Routledge, 2018.

Tolle, Eckhart. *A New Earth: Awakening to Your Life's Purpose*. New York: Penguin Books, 2005.

UCLA Mindful Awareness Research Center. Accessed November 14, 2019. www.uclahealth.org/marc/research

# 색 인

# 감사의 말

저의 미술치료 실습을 도와주신 모든 교수님, 멘토, 그리고 동료분들께 감사드리고 싶습니다. 미술치료의 기초를 가르쳐 주신 마르시아 로살(Marcia Rosal), 데이비드 구삭(David Gussak), 베티 조 트래거(Betty Jo Traeger)에게 감사합니다. 위기의 청소년들에게 미술치료를 진행할 수 있게 해주신 마이애미-데이드 카운티 공립학교 기관(Miami-Dade County Public School System)에 감사합니다. 제가 안내하는 빛이 되게끔 허락해 주신 내담자분들께 감사드립니다. 저의 노력에 변함없는 지지를 보내는 제 남편 호르헤 구즈만(Jorge Guzman)에게 감사의 말을 전하고 싶습니다.

# 저자 소개

**레아 구즈만(LEAH GUZMAN)**은 조지아 주립대학교에서 조각을 중심으로 미술 학사 학위를 취득한 미국 공인 미술치료사 (ATR-BC)이자 전문 예술가입니다. 학사 이후에는 플로리다 주립대학교에서 미술치료에 중점을 둔 미술교육 석사과정을 마쳤습니다. 또한, 캘리포니아에 사는 동안에는, 교환학생으로 샌프란시스코 미술 학교에 다녔습니다.

그녀는 17년간 남부 플로리다에서 일하면서, 학교, 병원, 위기의 쉼터, 양로원, 그리고 소년원에서 미술 심리치료를 실천해 왔습니다. 현재는 불안증과 우울증 환자들을 치료하기 위한 온라인 미술치료 세션을 제공하고 있습니다.

또한 그녀는 공립학교에서 전일제로 임상 서비스를 제공하고 있습니다. 그녀의 임무는 사람들이 자신의 가장 진정한 자아와 최고의 인생을 표현하게끔 치유를 위한 창의성을 선물하는 것입니다. 혼합매체를 사용한 레아의 그림들은 현대적이고, 상징적이고, 본질적으로 영적이며, 전 세계적으로 수집되었습니다. 다양한 장르를 보여주는 이 컬렉션은 추상화, 구상 작업, 그리고 상호작용을 특징으로 하는 미로 같은 설치작품을 포괄합니다. 미술치료의 경험과 어떤 색채가 그 사람의 심리 상태에 감흥을 주는지 관찰한 연구를 통해, 그녀는 시각 예술의 필수적인 기초 요소들이 지닌 심오한 힘을 깨닫게 되었습니다.